PERCEVAL

ou le conte du Graal

87, quai Panhard-et-Levassor – 75647 Paris Cedex 13
ISBN : 978-2-0812-6247-8

Adapté par CAMILLE SANDER

PERCEVAL

ou le conte du Graal

D'après Chrétien de Troyes
et Wolfram von Eschenbach

Illustrations de Frédéric Sochard

Flammarion Jeunesse

Avant-propos

Il était une fois... un roi nommé Arthur ! Il était une fois un mystérieux château où quelques élus pouvaient voir passer le cortège du Graal. Durant tout le Moyen Âge, ces mots magiques suscitèrent une attention fascinée dans les cours des rois et seigneurs de l'Europe entière. La légende du roi Arthur tout comme celle du Graal qui lui est intimement attachée ont nourri de nombreux récits dont l'origine se situe dans un espace géographique entouré de mers : l'Irlande, le pays de Galles, la Cornouaille et l'Armorique. Il s'agit de l'espace des Celtes, et le « roman breton », souvent appelé « roman arthurien », utilise de nombreux motifs et thèmes merveilleux du folklore et de la littérature celtiques.

Chrétien de Troyes est le premier romancier en langue française, l'auteur célèbre de cinq romans écrits entre 1171 et 1190. *Yvain ou le Chevalier au lion* et *Perceval ou le conte du Graal* sont particulièrement connus et appréciés. Au XIIe siècle, on écrivait la plupart du temps encore en latin, et le mot « roman » indique d'abord qu'il s'agit d'un récit écrit dans la langue que parle tout le monde. Très vite, le « roman » devient un genre littéraire qui fait une large place aux histoires d'amour, alors que la chanson de geste s'attache essentiellement aux luttes contre les Sarrasins. À cette époque, un roman était composé de vers de huit syllabes, mais cette forme très ancienne ne se comprendrait guère de nos jours, et le récit de Chrétien a été adapté en prose. Le rythme des phrases reflète cependant celui des phrases courtes du XIIe siècle, et le lecteur aura souvent l'impression d'entendre raconter les histoires pour un public qui écoute plutôt qu'il ne lit.

Chrétien de Troyes est un créateur habile à se servir à la fois des manuscrits qu'il a pu lire – et que lui ont confiés les seigneurs de la cour de Champagne – et des contes qu'il a entendus, ces aventures diffusées par des conteurs qui circulaient dans la région des côtes celtiques et sur le continent. À partir de sources multiples, Chrétien compose des récits qui ont eu tant de succès qu'ils ont été recopiés, illustrés de miniatures et traduits dans toute l'Europe, en Allemagne particulièrement où Wolfram von Eschenbach composera entre 1200 et

1210 un très beau *Parzival* s'inspirant du *Perceval* français.

Perceval est le héros le plus énigmatique des romans de la Table ronde. Élevé comme un jeune sot, il ignore toutes les qualités de la chevalerie, au sein d'une forêt profonde où il ne s'adonne qu'à la chasse. Mais il découvre la chevalerie, et son regard étonné parcourt désormais de larges espaces : depuis les chevaliers armés et brillants de lumière jusqu'à la cour d'Arthur dont les usages lui semblent bien étonnants, pour parvenir enfin à l'étrange château du Roi Pêcheur, dont il perd la trace et qu'il retrouvera. Il doit ainsi quitter sa mère qui, dans sa crainte, a trop voulu le protéger ; il va trouver le roi Arthur qui lui octroie l'armure vermeille d'un agresseur ; il est adoubé chevalier par un noble vavasseur qui lui apprend les règles chevaleresques et le maniement des armes.

Le conte du Graal, fréquemment désigné comme *Perceval,* est dédié par Chrétien de Troyes à Philippe d'Alsace, comte de Flandre, qui lui avait confié un « livre », c'est-à-dire un manuscrit qui devait contenir un « conte du Graal ». On ne saura jamais ce qu'était le manuscrit transmis par le comte de Flandre : le Graal était-il un vase liturgique chrétien, ou bien un objet tiré du merveilleux breton ? Quant au héros du roman, il est mentionné avec éloges dans plusieurs autres romans de Chrétien, et il appartient bien à la grande famille arthurienne. Il entretient des liens d'amitié avec nombre de chevaliers de la Table ronde, surtout Gauvain, le plus prestigieux chevalier courtois. Sur l'ordre donc du comte de Flandre, son mécène, le romancier – quelle que soit sa source – parle de la peine qu'il s'est donnée et du soin apporté à la tâche.

Perceval est un roman d'initiation : le héros est progressivement initié à un ensemble de valeurs. D'abord il est docile, trop docile aux bons conseils donnés par sa mère, ce qui prouve qu'il ne sait pas évaluer les circonstances. Mais il est également coupable à l'égard de sa mère, puisqu'elle est tombée sous ses yeux et qu'il ne s'est pas retourné pour la relever. Ce manque d'amour, ou de charité si l'on suit une interprétation plus chrétienne, est une faute assurément, et peut-être cette faute a-t-elle paralysé plus tard les lèvres de Perceval devant le cortège du Graal. Ainsi l'aventure du Graal a-t-elle pu apparaître comme un drame de la conscience. Mais Chrétien de Troyes a préservé la séduction du mystère. Si Perceval apprend comment doit se comporter un parfait chevalier, avec les armes et avec les dames, son échec devant le Roi Pêcheur débouche sur une réelle souffrance, et il revivra son échec durant des années, jusqu'au moment où il acceptera d'entrer sur le chemin de la pénitence. Wolfram von Eschenbach nous fournit les clés de l'énigme, l'origine du Graal, les lois qui règlent la communauté des gardiens du Graal, enfin le couronnement de Perceval comme roi du Graal.

Déjà dans le roman du XIIe siècle, sous la plume du conteur de Champagne, l'épisode de la visite auprès du roi infirme est saisissant. D'ailleurs le romancier a su témoigner d'une grâce extrême pour des scènes qui ont franchi les siècles : celle de l'admirable cortège lumineux qui éblouit le héros et le laisse silencieux, celle de l'extase de Perceval devant les trois gouttes de sang sur la neige, qui marque une étape importante de l'affinement du jeune homme élevé dans la forêt sauvage.

Or Perceval pourrait suivre la voie brillante et généreuse tracée par les chevaliers de la Table ronde, mais il choisit de mener une quête impossible : retrouver le Graal. Malgré de nombreuses prouesses, Perceval sombre dans le désarroi et doit apprendre le repentir. Il découvre l'existence de son lignage : du côté de sa mère, Perceval a pour oncle l'ermite qui l'accueille, et un vieil homme, qu'il ne voit pas, à qui l'on fait le service du Graal. Il s'agit du père du Roi Pêcheur, qui vit uniquement de l'hostie portée dans le Graal. Il découvre aussi que son père a conçu avant son mariage un enfant mâle dans l'Orient sarrasin : il prend pour compagnon Feirefiz, son frère, le merveilleux jeune homme à la peau bigarrée, dont la valeur est égale à la sienne.

À travers le récit recomposé d'après ce que nous en a laissé Chrétien de Troyes et la fin très ample transmise par Wolfram, on découvre que trois significations sont ici imbriquées : Perceval doit suivre les différentes phases d'un apprentissage de chevalier mais, bien au-delà, il va apprendre le poids de sa responsabilité et de la liberté intérieure. À cela s'ajoute le sens d'une rédemption : Perceval a oublié Dieu, et il sera sauvé le jour du Vendredi saint.

Mais dans quel fonds de légendes Chrétien a-t-il pu puiser de quoi faire un roman pour Philippe de Flandre ? Le Graal, qui a donné le titre du roman, est l'objet mystérieux lié au destin du Roi Pêcheur, souverain d'un royaume qui souffre d'une malédiction. Pourquoi la question posée au bon moment peut-elle sauver le royaume et guérir le roi ? Des conceptions chrétiennes se mêlent ici aux merveilles bretonnes et païennes, et les interprétations sont multiples. La lance qui saigne pourrait être la sainte lance de Longin, qui a percé le flanc du Christ en croix, de même que le Graal – le plat qui contient une hostie – pourrait désigner un ciboire ou un calice. Le terme « graal » cependant, dans d'autres textes médiévaux, ne désigne pas un ciboire ou un calice : comme le plateau à découper, le graal sert à l'ordonnance d'un repas. C'est un plat large et creux. Quant à la lance « qui saigne », le prodige tient à la goutte de sang qui ne cesse de couler, et elle pourrait venir d'un mythe celtique. Tout comme le riche Roi Pêcheur et son château, le motif de la prospérité perdue et retrouvée est un thème connu du monde des Celtes. Le motif de la « terre gaste » associe la stérilité du royaume à la blessure d'un roi mutilé. C'est ainsi que les traditions celtiques font état de récipients magiques dont parlent des contes d'Irlande et du pays de Galles : plats ou chaudrons d'abondance, ces objets sont des talismans de l'Autre Monde. Et dans la longue tradition des romans qui vont suivre le *Perceval* de Chrétien de Troyes, le Graal procure à chaque convive les mets et les breuvages qu'il désire, il est un signe d'abondance magique.

La lance qui saigne existe dans les mythologies celtiques où elle est également un talisman de l'Autre Monde, un instrument redoutable de vengeance et de destruction. Les Celtes ont bien connu la lance mythique. Le Roi Pêcheur lui-même engage vers les traditions celtiques : il évoque, par exemple, le héros Bran le Béni dont la légende comporte beaucoup de points de comparaison avec le conte du Roi Pêcheur. Bran est un dieu marin, roi de l'Autre Monde, possesseur d'un chaudron magique et d'une corne d'abondance, et il est blessé, lui aussi, d'une blessure causée par une lance au cours d'une bataille. Même la demeure du Roi Pêcheur garde le caractère merveilleux d'un palais de l'Autre Monde : il surgit et semble n'être nulle part.

Enfin, le silence de Perceval pourrait être l'effet d'une « geis » celtique, c'est-à-dire une contrainte magique. On voit combien le roman du XIIe siècle et ceux qui lui font suite ont amalgamé des éléments du paganisme celtique avec des éléments de la liturgie chrétienne.

Pour cette adaptation, on a conservé la simplicité du roman de Chrétien de Troyes (la mère de Perceval est nommée la Dame Veuve, comme en ancien français), tout en demandant à Wolfram von Eschenbach, romancier allemand du XIIIe siècle, une fin heureuse et glorieuse, la découverte du demi-frère venu d'Orient (dont on a gardé le nom donné par Wolfram : Feirefiz, c'est-à-dire le « fils vair », le jeune homme à la peau bicolore) et les amours de ce dernier avec la sœur du Roi Pêcheur, enfin la consécration de Perceval comme souverain du Graal. Il aura même une postérité appelée à la gloire de la légende : Lohengrin est, dans le roman de Wolfram, l'un des jumeaux de Perceval et de Blanche-fleur, et il sera le fameux Chevalier au Cygne qui épouse une princesse de Brabant. Ainsi le roman de Wolfram témoigne-t-il de l'immense influence de la matière dite « de Bretagne » dans l'Europe du Moyen Âge.

La découverte du nom, du lignage maternel et d'un frère lointain donne au roman une véritable allure généalogique, importante dans l'imaginaire médiéval. Au-delà des aventures d'un jeune sauvage qui acquiert progressivement les savoirs qui feront de lui un vrai chevalier et un vrai amant selon les règles très subtiles de l'« amour courtois », le Graal occupe une place remarquable dans la culture du Moyen Âge : il montre comment a pu se faire la christianisation d'un conte ou de plusieurs contes imbriqués. Dans le roman de Chrétien de Troyes développé par Wolfram von Eschenbach, les motifs folkloriques et les noms celtiques se mêlent à des intentions religieuses, qui incluent des éléments importants de la culture courtoise, du raffinement des mœurs à l'art d'aimer.

Et pour saisir la dimension mythique de l'évocation d'une Terre Gaste, d'un royaume désolé qui attend que guérisse un souverain frappé d'une terrible blessure, on peut évoquer ce que raconte, dans une atmosphère plus païenne, un autre texte médiéval, l'*Élucidation* : il y avait autrefois des fées et des récipients nourriciers, mais le royaume de Logres était stérile, car les jeunes filles, c'est-à-dire les fées, avaient déserté les puits fertiles. Autrefois, en effet, elles comblaient toutes les demandes : il suffisait de se rendre vers l'un des puits d'où sortait une demoiselle avec une coupe d'or, un pâté et du pain. On était servi à volonté, mais un roi décida d'enfreindre la coutume et violenta l'une des demoiselles, emportant sa coupe d'or. Ainsi le pays alla à sa ruine, et le royaume fut dévasté, les prés et les fleurs se desséchèrent. Il vint un jour heureux, cependant, où arrivèrent les chevaliers de la Table ronde, qui voulurent rétablir la coutume des puits. Tous partirent en quête du Roi Pêcheur : Gauvain eut la joie de le trouver, mais il avait été précédé par un jeune chevalier un peu rustre... On devine qu'il s'agit là de Perceval le Gallois.

Dans le roman que vous allez lire maintenant, vous trouverez, à travers les merveilles celtiques et l'humour des scènes d'initiation, une tonalité souvent plus grave et plus religieuse : Perceval est le héros élu pour rendre la joie et la vie au royaume stérile, il devient roi du Graal[1].

1. Les récits du Moyen Âge font alterner le tutoiement et le vouvoiement : il ne faut pas s'étonner si les héros de notre roman se parlent de la sorte.

Prologue

Au temps où régnait le roi Arthur, sa cour était célèbre dans le monde entier. Le roi Arthur était loué pour sa justice, sa générosité et les dons somptueux dont il comblait ceux qui le méritaient. Il jouissait d'une grande renommée, car ses chevaliers étaient courageux et redoutés. Les plus audacieux se mettaient en chemin pendant les nuits obscures pour chercher des aventures. Ils faisaient route également pendant la journée et chevauchaient sans trêve, solitaires. Il leur arrivait de belles aventures qu'ensuite ils pouvaient raconter. On les appelait des chevaliers errants, et tous étaient chevaliers de la Table ronde, Lancelot, Gauvain, Perceval et bien d'autres. À la cour d'Arthur, on écoutait la façon dont leurs aventures s'étaient déroulées et on les faisait mettre par écrit. Les clercs les rédigeaient sur des feuillets de parchemin afin qu'elles fussent gardées en mémoire et qu'on pût les relire et les entendre au fil des siècles.

En effet, on apprenait à la cour des nouvelles étranges et prodigieuses. Et tout le monde voulait connaître les preuves des actes accomplis. C'est pourquoi le noble roi Arthur, nous dit le conte, réunissait souvent à Carduel, au pays de Galles, les compagnons les plus nobles de son royaume. Les fêtes qu'il organisait à l'occasion de l'Ascension ou de la Pentecôte étaient les plus célèbres du temps jadis : tant de nobles chevaliers étaient présents que le roi Arthur était considéré comme le souverain le plus illustre du monde.

Je vais donc vous raconter une très belle histoire. Écoutez-moi avec attention ! C'est la légende de Perceval qui s'adonna aux aventures au temps où vivait ce grand roi Arthur. Vous entendrez parler de grands prodiges et de beaux faits d'armes, et vous apprendrez comment un jeune héros du pays de Galles, élevé par sa mère dans la forêt sauvage, arriva au mystérieux pays du Graal, le délivra d'une terrible malédiction, puis devint lui-même roi du Graal.

1. Une mystérieuse rencontre dans la forêt

C'était au temps où fleurissent les arbres, où les feuilles et l'herbe verte réjouissent les oiseaux qui, dès l'aube, se mettent à chanter avec douceur, procurant de la joie à tous ceux qui les écoutent.

Le fils de la Dame Veuve[1] dans la forêt profonde mit la selle sur son cheval et saisit trois javelots. Il voulait aller voir les hommes qui travaillaient dans les champs avec leurs bœufs. Il pénétra dans

1. On appelle ainsi la mère de Perceval, qui s'était retrouvée privée d'époux et de ses deux fils aînés.

la forêt, le cœur tout réjoui par la douceur de la saison et le chant des oiseaux.

Il laissa aller son cheval paisiblement et s'exerça au javelot, car il était fort habile et le lançait dans tous les sens, en avant, en arrière. Mais voici qu'il entendit venir cinq chevaliers équipés de toutes pièces. Ils faisaient un grand vacarme avec leurs armes qui s'entrechoquaient aux branches des chênes, leurs lances, les mailles de leurs hauberts ainsi que leurs boucliers. C'est ce qu'entendait le jeune homme, mais il ne les voyait pas encore, et s'écria :

« Ce sont des diables, ces diables dont ma mère m'a parlé. Il faut donc faire le signe de la croix ! Mais ne vaudrait-il pas mieux frapper l'un d'entre eux de mon javelot ? »

Quand il vit à découvert les heaumes tout brillants, les hauberts étincelants, ainsi que les lances et les boucliers qu'il n'avait jamais vus de sa vie, quand il vit les belles couleurs qui reluisaient au soleil, l'or, l'azur et l'argent, il s'écria stupéfié :

— Seigneur Dieu, pardonnez-moi ! Ce sont des anges que j'aperçois. Ma mère me disait bien que les anges étaient les plus beaux êtres que l'on puisse imaginer, mais parmi eux, c'est Dieu lui-même que j'aperçois car l'une de ces créatures est plus belle qu'on ne saurait l'imaginer ! Or Dieu

– c'est ce que ma mère m'a dit – doit être vénéré et adoré !

Et le voilà genoux en terre, prononçant toutes les prières que sa mère lui a apprises. À cette vue, le maître des chevaliers fit signe à ses compagnons :

— Vous voyez bien que ce jeune homme est terrifié ! Ne nous approchons pas de lui. S'il veut me poser des questions, je lui répondrai bien volontiers !

Tous s'arrêtèrent. Le chevalier alla vers le jeune homme et le rassura :

— Qui êtes-vous ? demanda le jeune ignorant. Êtes-vous Dieu ?

— Non, assurément, répondit l'autre. Je suis un chevalier !

— Chevalier ? Qu'est-ce qu'un chevalier ? Je n'en ai jamais entendu parler. Vous êtes, me semble-t-il, plus beau que Dieu lui-même ! Comme je voudrais vous ressembler !

Et le chevalier se mit à l'interroger :

— As-tu vu passer aujourd'hui dans cette lande cinq chevaliers et trois jeunes filles ?

Mais le jeune homme ne l'écoutait pas. Il brûlait de curiosité, tendit la main vers la lance et la saisit :

— Cher seigneur, vous qui vous dites chevalier, que tenez-vous là ?

— C'est donc toi qui me poses des questions ? C'est ma lance !

— Cette lance, s'en sert-on comme de mes javelots ?

— Quelle naïveté ! La lance sert à frapper, et d'un bon coup !

Puis le jeune homme saisit le bord du bouclier :

— Et qu'est-ce que ceci ? À quoi cela sert-il ?

— Tu te moques de moi, répondit le chevalier, mais je te répondrai malgré tout. C'est un bouclier, et mon bouclier est la meilleure des protections. Si l'on me porte des coups de tous côtés, il les arrête fidèlement.

Et les autres chevaliers s'approchèrent à leur tour du jeune homme :

— Que vous raconte ce Gallois ?

Et leur maître répondit :

— Il ne connaît pas nos usages, vous le voyez. Il demande le nom de tout ce qu'il voit, ainsi que la façon dont on s'en sert.

— Seigneur, vous savez que les Gallois sont tous obtus, lui comme les autres ! Ne perdons pas notre temps !

— Eh bien, je vais répondre à ses questions, et lui répondra aux miennes !

Mais le jeune homme ne l'entendait pas ainsi et tirait le chevalier par le pan du haubert :

— Quel est donc ce vêtement que vous portez ?

— C'est mon haubert, il est aussi lourd que du fer !

— Du fer ?

— Tu le vois !

— Mais à quoi sert-il ?

— Si tu lançais contre moi ton javelot ou si tu décochais une flèche, tu ne pourrais pas me blesser !

Et le jeune homme de répliquer :

— Heureusement que les biches et les cerfs ne portent pas de tels vêtements ! Mais dites-moi encore : qui vous a ainsi équipé ?

— Je vais te le dire : il y a cinq jours, le roi Arthur lui-même m'a adoubé et m'a donné tout cet équipement ! Peux-tu maintenant répondre à ma question ?

— Eh oui, répondit Perceval. Voyez-vous là-bas les herseurs de ma mère qui travaillent la terre ? Ils vont diront s'ils les ont vu passer.

Il les conduisit jusqu'à eux. Mais les herseurs étaient fort affligés, car ils savaient bien ce qui se passerait si les chevaliers lui parlaient de leur noble condition et de leurs aventures. Le jeune homme voudrait devenir chevalier, alors que sa mère s'était donné tant de mal pour le préserver de tout savoir et le garder dans l'ignorance ! Ils tremblaient donc de peur, car sa mère serait folle de chagrin.

Le jeune homme insistait :

— Parlez-moi encore de ce roi qui fait les chevaliers ! Où se trouve le lieu où il réside ?

— Jeune homme, répondit le chevalier, le roi séjourne à Carduel. Je l'y ai vu, il n'y a pas cinq jours.

Puis il s'éloigna au galop et voulut rattraper ses compagnons. Le jeune homme retourna au manoir. Sa mère était triste et l'attendait. Elle éclata de joie à sa vue et le prit dans ses bras :

— Oh ! mon fils, mon fils que j'aime tant ! Pourquoi avez-vous tant tardé ?

— Je vous le dirai sans mentir, répondit-il. Il m'est arrivé aujourd'hui une très grande joie. Ne me disiez-vous pas que les anges de Dieu sont les plus belles créatures au monde ?

— Je te le redis encore, mon fils.

— Eh bien, je vous apprends que dans la Forêt Déserte, j'ai vu passer des créatures plus belles encore, plus belles que Dieu et ses anges.

Et la mère eut le cœur serré de détresse :

— Tu as vu ces anges qui tuent tout ce qu'ils atteignent ?

— Mais non, mère ! Ils m'ont dit qu'on les appelle chevaliers.

À ces mots, sa mère perdit connaissance, elle tomba à terre, puis se releva :

— Ah ! mon fils tant aimé ! Comme mon destin est affligeant ! J'avais espéré vous préserver de la chevalerie et de ses dangers. Certes vous auriez pu être chevalier, si Dieu avait gardé en vie votre père Gahmurot, qui était de si grande valeur, le meilleur chevalier de toutes les Îles de la Mer. Et vous pouvez être très fier de votre lignage ! Mais je sais

que le malheur accable les chevaliers de mérite. Votre père fut blessé aux jambes et resta infirme. Ses biens, ses terres, son trésor, tout fut perdu, et il vécut dans la pauvreté. Après la mort du père du roi Arthur, le roi Uterpandragon, les terres furent dévastées. Votre père possédait ce manoir dans la Forêt Déserte, il s'y fit porter, et vous étiez encore tout enfant. Vos deux frères, qui étaient de beaux jeunes gens, se rendirent à des cours de roi pour y recevoir armes et chevaux. L'aîné alla trouver le roi d'Escavalon qui l'adouba, et le cadet alla chez le roi Ban. Ils furent adoubés et voulurent revenir auprès de leur mère et de leur père. Sur leur chemin, ils furent défaits et tombèrent dans le combat. Le chagrin a fait mourir leur père, et ma vie en est restée pleine d'amertume. Vous voyez que l'on m'appelle la Dame Veuve, la femme de douleur. Vous êtes, mon fils bien-aimé, ma grande consolation et ma seule joie.

Mais le jeune homme s'attacha peu aux propos de sa mère :

— Donnez-moi à manger ! Pourquoi tenir tous ces propos ? Ce que je désire, c'est aller trouver le roi qui fait les chevaliers ! Et vous ne m'en empêcherez pas !

La mère fit préparer son équipement, une chemise grossière de chanvre, des braies à la mode de Galles[1], elle ajouta une cotte et un capuchon en peau de cerf. Elle le retint trois jours durant, mais il ne voulut pas tenir compte de son chagrin. Alors elle lui dit :

— Ma douleur est grande, puisque vous voulez partir. Allez à la cour du roi, et demandez-lui des armes. Mais saurez-vous vous en servir ? Personne ne vous l'a jamais appris. Écoutez du moins mes conseils. Vous serez fait chevalier, et si vous rencontrez une dame ou une jeune fille qui ait besoin de secours, soyez toujours prêt à les aider. C'est une question d'honneur ! Servez-les, et ne soyez jamais importun. Une jeune fille donne déjà beaucoup lorsqu'elle accorde un baiser. Veillez à ne rien demander de plus. Si elle a un anneau au doigt, si elle possède une aumônière et qu'elle vous les donne, acceptez-les. Enfin, si en chemin vous passez quelque temps avec un compagnon, n'omettez jamais de lui demander son nom. C'est par le nom qu'on connaît l'homme. Fréquentez les hommes d'honneur, qui ne dispensent jamais de mauvais conseils. Et surtout, je vous demande instamment de ne pas négliger les églises et les abbayes, afin d'y prier Notre-Seigneur, qui vous aidera à tout mener à bonne fin.

1. Les braies sont des culottes. La cotte est une tunique que portent sur la chemise aussi bien les hommes que les femmes.

— Qu'est-ce qu'une églisc, ma mère ? demanda le jeune homme.

— C'est un lieu où on célèbre le service de Celui qui a créé le ciel et la terre !

— Et qu'est-ce qu'une abbaye ?

— C'est un lieu saint également, avec des reliques et des trésors. On y célèbre la sainte messe, en mémoire de Jésus-Christ qui fut mis à mort, trahi et jugé, et qui souffrit la Passion pour sauver l'humanité. Il fut crucifié et porta une couronne d'épines.

— Je vous promets d'aller de bon cœur dans les églises et les abbayes !

Puis il prit congé de sa mère, tout en pleurs. Il partit, vêtu à la mode des Gallois et chaussé de gros brodequins, emportant trois javelots selon son habitude ; sa mère lui en enleva deux, et aurait bien voulu lui enlever le troisième afin qu'il ne paraisse pas trop gallois. Une baguette d'osier lui servait de fouet pour son cheval.

Quand il se fut éloigné d'un jet de pierre, il se retourna et vit sa mère tombée à terre, gisant comme morte. Mais lui, d'un coup de sa baguette, cingla son cheval sur la croupe. L'animal bondit, l'emportant à vive allure dans les ténèbres de la forêt.

2. Vers la cour du roi Arthur

Il chevaucha depuis le matin jusqu'au déclin du jour, passa la nuit dans la forêt, puis aux clartés de l'aube, il remonta à cheval, si bien qu'il aperçut une belle tente dans une prairie, sur les bords d'une source. Cette tente était surprenante de beauté : vermeille d'un côté, verte de l'autre, toute brodée d'or et, à son sommet, un aigle d'or qui luisait aux rayons du soleil. Autour de la tente avaient été dressées des huttes de feuillages. Le jeune homme se hâta vers la tente, en disant :

« Seigneur Dieu, voici donc votre maison ! Ma mère disait vrai : une église est la plus belle chose du monde. Aussi faut-il que je Vous y adore et que j'aille prier. »

Le voici proche de la tente qu'il trouva ouverte. Il y vit un beau lit recouvert d'une somptueuse couverture de soie et sur le lit dormait une jeune fille. Ses suivantes s'étaient éloignées pour cueillir des fleurs printanières. C'était alors la coutume d'en couvrir le sol d'une tente. Mais le bruit du cheval éveilla la demoiselle qui sursauta. Et le garçon, qui ne savait comment se comporter avec les dames, lui dit :

— Demoiselle, je vous salue comme me l'a appris ma mère : il faut, m'a-t-elle dit, saluer toutes les jeunes filles.

Mais la demoiselle se mit à trembler : elle crut que le jeune homme n'avait pas sa tête, et elle-même se trouvait bien imprudente d'être restée toute seule.

— Passe ton chemin, lui dit-elle, avant que mon ami ne te voie !

— Certes pas avant de vous avoir demandé un baiser sur ma tête ! répondit-il.

Et comme il était très fort, il la saisit dans ses bras, un peu maladroitement, mais il ne savait faire autrement. Il la renversa et lui vola vingt baisers, à ce que dit le conte. Mais voici qu'il aperçut à son doigt un anneau où était sertie une émeraude scintillante :

— Ma mère m'a dit de prendre l'anneau qui se trouve à votre doigt, dit-il. Donnez-le moi, il me le faut !

Elle le lui refusa, mais il lui saisit la main, étendit le doigt et fit glisser l'anneau sur son propre doigt.

— Eh bien, demoiselle, dit-il, je m'en vais satisfait. Soyez-en récompensée ! Vos baisers sont bien plus doux que ceux des femmes de chambre de ma mère. Votre bouche n'est pas amère !

La jeune fille sanglotait et suppliait :

— N'emportez pas mon petit anneau. Il m'en coûterait cher, et toi, tu y risques ta vie, je te l'assure !

Mais rien n'ébranla le cœur du jeune homme. D'ailleurs il mourait de faim et vit un petit tonneau rempli de vin ainsi qu'une coupe d'argent, et une serviettte blanche sous laquelle il découvrit trois bons pâtés de chevreuil, ce qui le réjouit car il était fort affamé ! Il se versa à boire dans la coupe d'argent, mordit à belles dents dans l'un des pâtés et n'arrêtait pas de se servir des rasades d'un vin délicieux.

— Demoiselle, venez m'aider ! Ces pâtés sont exquis, chacun de nous aura le sien !

Mais elle pleurait, tandis qu'il mangeait et buvait puis, sans plus attendre, il lui dit adieu :

— Que Dieu vous garde, ma douce amie ! Ne pleurez point pour cet anneau que j'emporte. Ce don sera récompensé !

Mais la jeune fille répétait qu'elle était couverte de honte, qu'elle serait la plus malheureuse femme du monde et que personne ne pourrait lui porter secours. Son ami revint d'ailleurs, et voyant les traces d'un cheval, il lui dit :

— D'après les signes que je vois, un homme monté à cheval est passé par ici.

— Oh ! seigneur, lui dit-elle, croyez-moi, ce n'était qu'un jeune Gallois, mal élevé et ignorant de toutes les bonnes manières. Il s'est servi de votre vin et a mangé de vos pâtés.

— Est-ce là la raison de vos larmes ? Ma foi, il aurait pu boire et manger à son gré !

— Il a également emporté mon anneau, dit-elle en se lamentant.

La colère alors s'empara de lui :

— Quel outrage ! Ne s'est-il passé autre chose ? Ne me cache rien !

— Il m'a arraché un baiser, et pourtant je voulais l'en empêcher !

— C'était certainement avec votre accord, et vous n'avez rien refusé, répliqua-t-il. Ah ! je connais bien les femmes, et votre vie désormais ne sera pas douce. Il va falloir que j'en tire vengeance. Vous n'aurez plus le droit de porter d'autres vêtements que ceux que vous portez aujourd'hui. En guenilles, vous me suivrez à pied jusqu'à ce que j'aie pu trancher la tête de cet impudent !

Alors il se mit à manger, et la jeune fille sanglotait.

Pendant tout ce temps le jeune homme chevauchait. Il aperçut un charbonnier qui menait un âne.

— Indique-moi, lui dit-il, le chemin le plus court pour aller à Carduel auprès du roi Arthur. On m'a dit que c'est lui qui fait les chevaliers.

— Prends ce sentier devant toi, tu verras un château tout près du rivage. Le roi Arthur, tu le trouveras plongé dans la joie et la tristesse.

— Et pourquoi donc ? dit le jeune homme.

— Le roi Arthur est tout réjoui de sa victoire sur le roi des Îles qui a été vaincu, mais il est bien mécontent car ses compagnons sont retournés dans leurs châteaux, et il se sent seul. Voilà la raison de sa tristesse !

Le jeune homme s'engagea sur la voie que lui avait indiquée le charbonnier. Voici le château dont il lui avait parlé ! Un chevalier en sortait, tenant de la main droite une belle coupe d'or, et de sa main gauche sa lance et son bouclier. Son armure de couleur vermeille lui allait bien, et le jeune homme l'admira.

« Voilà les armes que je veux demander au roi. S'il me les donne, je serai satisfait. »

Et il se lança vers le château, passant tout près du chevalier qui lui demanda :

— Où vas-tu ainsi ?

— Je veux me rendre à la cour du roi pour lui demander vos armes !

— Eh bien, va donc dire à ce roi pitoyable qu'il me rende ma terre, s'il ne veut pas être mon vassal, car je la revendique et elle m'appartient. C'est pourquoi j'ai pris sa coupe tout à l'heure, avec le vin qu'il était en train de boire.

Le jeune homme courut vers le roi et ses chevaliers, rassemblés pour le repas. La salle était belle et magnifiquement dallée. Le jeune homme y pénétra à cheval ! Les chevaliers s'entretenaient joyeusement et plaisantaient ensemble. Mais le roi Arthur était plongé dans ses pensées, tout muet. Le jeune homme ne savait qui saluer, car il n'avait jamais vu le roi.

Un jeune homme appelé Yonet s'élança vers lui, un couteau à la main.

— Montre-moi le roi, toi qui tiens ce couteau ! demanda le jeune homme.

— Le voici !

Le jeune Gallois alla vers lui tout aussitôt et le salua comme on le lui avait appris. Le roi cependant ne répondit mot. Alors le jeune homme s'adressa à lui à nouveau, mais le roi resta muet.

« Eh bien ! Ce roi-là n'a jamais fait de chevaliers. Comment saurait-il le faire, alors qu'on n'en peut tirer un mot ? »

Il fit tourner son cheval si brusquement qu'il toucha et fit tomber le chapeau de la tête du roi. Ce dernier aperçut alors le jeune homme :

— Cher ami, lui dit-il, je vous souhaite la bienvenue ! Ne vous offensez pas si je n'ai pas répondu à votre salut. C'est que j'étais accablé de chagrin. Mon pire ennemi me tourmente et vient de me défier : il réclame ma terre et prétend s'en emparer. Il s'appelle le Chevalier Vermeil. Ma reine était venue près de moi pour me réconforter, mais il a pris ma coupe et a répandu sur la reine tout le vin qu'elle contenait. La reine en meurt d'indignation et s'est retirée dans sa chambre !

Mais qu'importent la douleur du roi et l'indignation de la reine ! Le jeune homme pressa le roi :

— Faites-moi chevalier, car je veux partir ! Et ses yeux riaient dans son visage, car c'était un jeune homme de la nature sauvage.

Ceux qui le regardaient se rendaient bien compte qu'il était ignorant, mais le trouvaient d'allure belle et noble.

— Ami, dit le roi, confiez votre cheval à ce jeune homme et vous serez fait chevalier, je vous le promets !

— Eh ! répond le jeune sauvage, ceux que j'ai rencontrés dans la lande n'étaient pas à pied. Pourquoi voudriez-vous que je descende de mon cheval ?

Je ne le ferai en aucun cas, donc hâtez-vous, car je veux partir !

Il exigea en outre de devenir Chevalier Vermeil, en prenant les armes de celui qui s'en était allé avec la coupe du roi.

Le sénéchal Keu se mit en colère :

— Allez donc lui enlever ses armes, si vous en êtes capable !

Le roi le rabroua : le jeune homme était peut-être ignorant et simple d'esprit, mais il devait être de noble origine. Peut-être ne lui avait-on pas appris les bonnes manières, mais ne saurait-on les lui apprendre ? Et de toute façon, se moquer d'autrui était tout à fait blâmable.

Voilà le sénéchal remis à sa place. Le jeune homme vit alors une belle jeune fille qu'il salua. Elle rit de tout son cœur en le regardant et prononça ces mots :

— Jeune homme, si ta vie est longue, je devine que dans le vaste monde il n'y aura nul chevalier qui puisse te surpasser !

Or cela faisait six longues années que la jeune fille n'avait ri, et ses propos furent entendus de tous. Keu, le sénéchal, en fut très irrité, il lui donna une gifle si rude qu'elle tomba à terre, puis voyant le fou de la cour près de la cheminée, il le bouscula dans le feu ardent, car le fou n'avait cessé de dire :

— Cette jeune fille se remettra à rire le jour où elle verra celui qui surpassera tous les autres par sa gloire de chevalier !

Yonet s'élança en traversant un verger proche de la salle, descendit en courant par une poterne et arriva tout droit devant le chevalier arrogant qui attendait le combat et l'aventure. De son côté, le jeune homme gallois venait pour s'emparer de ses armes et vit la coupe d'or posée sur un perron de pierre.

— Mettez bas vos armes ! cria-il, le roi Arthur vous l'ordonne !

— Qui vient donc soutenir la cause du roi ?

— Comment ? dit l'autre, déposez vos armes à l'instant même !

— Qui veut combattre contre moi ?

— Ôtez votre armure ou je vais m'en occuper moi-même !

Le Chevalier Vermeil se mit en colère, leva sa lance et fit basculer le jeune homme de son cheval. Mais lorsqu'il se sentit touché, hors de lui, il lança son javelot dont la pointe pénétra par l'œil dans le crâne. Le Chevalier Vermeil, dont la cervelle jaillissait par la nuque et dont le sang coulait à flots, n'entendit et ne vit plus rien. Il tomba mort.

Le jeune homme, alors, lui enleva son bouclier, voulut défaire le heaume et détacher l'épée, mais il ne put la faire sortir du fourreau. Il tirait avec maladresse, et Yonet sourit :

— Que faites-vous donc ?

— Je ne sais pas vraiment. Je pensais que le roi m'avait accordé ces armes ! Or elles lui collent au corps ! Le dedans et le dehors ne font qu'un !

— Ne vous inquiétez pas, je puis vous aider et faire la besogne !

En un clin d'œil, voilà le mort dévêtu jusqu'à l'orteil. Haubert, chausses et heaume, toutes les pièces de son armure lui furent enlevées. Mais le jeune homme ne voulut pas quitter ses vêtements ni revêtir la cotte de soie doublée de laine que le chevalier portait sous son armure. Il ne voulut pas non plus enlever ses brodequins :

— Vous plaisantez ? dit-il à Yonet. Faudrait-il que je change mes bons vêtements que ma mère m'a donnés pour mettre ceux de ce chevalier ? Je ne veux pas abandonner ma chemise de chanvre, ni ma tunique qui est imperméable alors que celle-ci n'arrête pas l'eau !

Il est bien difficile de persuader un fou ! Il ne voulut prendre que les armes. Yonet l'aida à lacer les chausses, lui attacha les éperons sur les brodequins, le revêtit du magnifique haubert, et sur le capuchon de maille, lui enfila le heaume qui lui allait à merveille. Il lui montra comment le ceindre un peu flottant, puis il lui mit le pied à l'étrier et le fit monter sur le cheval de combat. Or le jeune homme n'avait jamais vu d'étrier et ne savait se servir d'un éperon. Il ne connaissait que l'usage d'une baguette d'osier pour faire bouger son cheval !

— Noble ami, dit-il, prenez mon cheval de chasse, je vous le donne. Désormais je n'en aurai plus besoin. Et rapportez au roi sa coupe, en le saluant de ma part. Et assurez la jeune fille que Keu a frappée que je la vengerai.

Yonet rentra alors dans la grande salle du château où se trouvaient rassemblés tous les seigneurs de la cour. Il tendit la coupe au roi :

— Qui te l'a donnée, demanda le roi stupéfait, car il était encore plongé dans son tourment.

— Par Dieu, dit Yonet, je parle du jeune Gallois.

— Celui qui m'a demandé les armes vermeilles ? Mais comment a-t-il pu avoir ma coupe ? Mon ennemi la lui a-t-il tendue de bon gré ?

— Eh non ! le jeune homme l'a prestement mis à mort. Je l'ai vu le frapper, tout s'est passé si vite que le javelot a pénétré dans l'œil, et le sang et la cervelle ont jailli.

— Ah ! Keu ! s'exclama le roi, votre langue perfide m'a déjà joué bien des tours. Aujourd'hui elle m'a fait perdre un chevalier qui m'a rendu un grand service.

— En outre, ajouta Yonet, il fait savoir à la jeune fille, celle que Keu a frappée par dépit, qu'il la vengera !

Le fou, qui était encore assis près du feu, accourut joyeux et se mit à danser devant le roi :

— Voici l'heure, dit-il, où approchent les aventures qui seront rudes et redoutables. Keu regrettera d'avoir si mal parlé ! Avant que soient écoulés quarante jours, le chevalier lui aura fait payer son coup de pied et la gifle assenée à la jeune fille. Keu en aura le bras brisé et le portera en écharpe pendant six mois au moins !

Le roi Arthur se lamentait :

« S'il y avait eu quelqu'un pour enseigner à ce jeune homme comment l'on use de la lance, du bouclier et des armes, quel chevalier aurions-nous à la cour ! Car il ignore tout encore et ne sait manier l'épée. »

Le roi en était désolé et fut à nouveau tout absorbé par de tristes pensées.

3. ENFIN CHEVALIER !

Sans prendre de repos, le jeune homme chevaucha par les forêts profondes. Il arriva enfin dans une plaine et aperçut une rivière plus large qu'un trait d'arbalète. La rivière courait avec bruit et il n'y entra pas, car l'eau semblait noire et profonde et le courant bien plus rapide que celui de la Loire. Longeant la rive, le jeune ignorant finit par apercevoir une colline rocheuse dont l'eau caressait le pied et sur le flanc de la colline, un somptueux château. Il vit poindre des tours : au milieu une tour haute et puissante, puis une fortification avancée, une barbacane[1] qui permettait de surveiller le point où les eaux se mêlaient aux flots de la mer. Aux quatre coins d'une muraille faite de solides moellons se dressaient quatre tours basses de fort bel aspect. Le château était magnifiquement bâti et l'intérieur en était aménagé pour le mieux. Devant un châtelet tout rond, il y avait un robuste pont de pierre bâti à sable et à chaux, muni de fortifications sur toute sa longueur, et au bout un pont-levis qui avait une double fonction : il était pont le jour et porte bien close durant la nuit.

Le jeune homme alla vers le pont, où se promenait un noble personnage qui, selon toute apparence, attendait l'arrivant. Il tenait une baguette à la main, et deux jeunes gens qui ne portaient pas de mantel étaient à son service.

Le jeune Gallois montra qu'il n'avait pas oublié les leçons de sa mère. Il salua en ajoutant ces mots :

— C'est ce que m'a appris ma mère !

— Dieu te bénisse, mon frère, répondit l'homme qui se rendait bien compte qu'il s'agissait d'un sot un peu naïf. D'où viens-tu ?

— De la cour du roi Arthur !

— Qu'y as-tu fait ?

— Le roi m'a fait chevalier, Dieu le bénisse !

1. Une barbacane est un ouvrage extérieur de fortification, percé de meurtrières.

— Chevalier ? Par Dieu, je ne pensais pas que le roi se souvenait encore de la chevalerie. Je pensais qu'il s'occupait de tout autre chose. Et cette armure, noble ami, qui te l'a donnée ?

— Le roi lui-même !

Et il lui raconta ce que vous savez. Ensuite le gentilhomme lui demanda ce qu'il savait faire avec son cheval :

— Je le fais courir où je veux, tout comme je le faisais avec mon cheval de chasse près de la demeure de ma mère !

— Et ton armure, qu'en fais-tu ?

— Je sais la revêtir et m'en débarrasser, comme me l'a montré le jeune homme qui m'en a armé, après avoir dévêtu le corps du chevalier que j'avais vaincu. Elle est si légère qu'elle ne me gêne en rien !

— Au nom du Seigneur, voilà qui est bien. Et dis-moi maintenant, qu'est-ce qui t'amène jusqu'ici ?

— Seigneur, ma mère m'a enjoint d'aller vers les hommes d'honneur pour leur demander conseil et suivre ce qu'ils me diront. Cela doit être profitable ! C'est pourquoi je vous demande si vous acceptez de m'héberger ce soir.

— Bien volontiers, mais à condition que tu m'accordes un don qui pourrait t'être profitable, à toi aussi.

— Et lequel ?

— Que tu t'attaches aussi bien à mes conseils qu'à ceux de votre mère.

— Je vous le promets !

Il mit alors pied à terre. L'un des jeunes gens prit son cheval, l'autre lui ôta ses armes. Il se retrouva dans ses vêtements ridicules, ses gros brodequins, sa tunique de peau de cerf mal taillée que sa mère lui avait donnée.

Le gentilhomme se fit chausser les éperons d'acier tranchants du jeune Gallois, sauta d'un bond sur le cheval, suspendit le bouclier à son cou et saisit la lance :

— Mon ami, voici le moment d'apprendre à vous servir de vos armes. Notez bien comment l'on doit tenir sa lance, piquer des éperons et retenir son cheval !

Il déploya alors le gonfanon[1], lui montra comment porter le bouclier en le laissant pendre en avant, de façon à toucher le col du cheval. Puis il mit sa lance en position d'arrêt et fit sentir l'éperon au cheval fougueux qui valait bien cent marcs d'argent[2].

Le jeune homme était émerveillé par les mouvements du gentilhomme. Une fois le galop accompli, ce dernier revint, lance levée :

1. Le gonfanon est un étendard qui sert à rallier les combattants.

2. La valeur d'un cheval de bataille est bien souvent indiquée, moins pour des détails concrets que pour vanter, à travers le prix de la monture, la valeur du chevalier qui s'en sert.

— Sauriez-vous jouter de la lance et du bouclier et mener ainsi votre cheval ?

L'autre répondit sans hésiter :

— Ah ! seigneur, je ne veux pas vivre un jour de plus désormais, si vous ne m'apprenez ce jeu-là !

— Ce qu'on ne sait, on peut l'apprendre, si l'on s'en donne la peine, noble ami. Effort, courage et persévérance sont ici mis à l'épreuve. Ce sont les trois conditions du savoir ! Mais vous n'avez jamais appris cet art, et personne ne vous en blâmera si vous vous montrez débutant !

Il le fit alors monter à cheval, et le voilà parti, tenant habilement la lance et le bouclier comme il l'avait vu faire, comme si toute sa vie s'était passée dans les tournois et les guerres, à travers tous les pays du monde, en quête de toutes les aventures. Nature contribuait à l'instruire[1] : puisque sa nature l'y portait et qu'il y mettait tout son cœur, il ne sentait même pas l'effort ! Le gentilhomme en eut le cœur tout réjoui :

— Seigneur, s'écria le jeune homme, lance levée comme il l'avait vu faire, qu'en pensez-vous ? Je n'ai jamais rien vu ni tenu de mes mains dont j'aie autant envie. J'aimerais me comporter comme vous !

1. Il est fréquent dans les romans du Moyen Âge de voir évoquer la « nature » d'un être, ses dispositions propres qui s'épanouissent dès lors que l'éducation y contribue.

Alors, trois fois de suite, le gentilhomme monta à cheval et, par trois fois, il fit monter le jeune homme. À la dernière, il lui demanda :

— Mon ami, si vous rencontriez un chevalier, que feriez-vous s'il vous frappait ?

— Je le frapperais également !

— Et si votre lance se rompait ?

— Dans ce cas, je me lancerais contre lui de toute la force de mes poings !

— Assurément non, répondit le gentilhomme, vous iriez le défier à l'épée !

Il lui montra alors comment se mettre en garde pour l'attaque et pour la défense, et comment il fallait fondre sur l'adversaire.

— Sur ce point, dit l'autre, j'en sais plus que personne, car je me suis essayé chez ma mère contre des coussins et des planches !

Et sur le chemin vers le château, le jeune homme interrogea son hôte :

— Seigneur, ma mère m'a appris à ne jamais me trouver aux côtés d'un homme sans savoir son nom. Et si elle a raison, j'aimerais connaître le vôtre.

— Noble ami, mon nom est Gornemant de Goort.

Ils se dirigèrent alors vers le château, la main dans la main[1]. Un jeune homme accourut vers eux,

1. Ce qui est un signe de grande amitié.

se hâtant de revêtir le jeune sauvage d'un mantel[1], afin qu'après la chaleur de l'exercice le froid ne le saisît pas. Le gentilhomme avait une somptueuse demeure et des serviteurs élégants. Le repas fut préparé et apprêté avec raffinement. Ils se lavèrent les mains et prirent place. Le gentilhomme fit manger le jeune homme à son côté, et ils partagèrent la même assiette[2].

Les mets étaient abondants, et il n'est point nécessaire de les décrire : ils mangèrent et burent tout à loisir.

Le gentilhomme invita le jeune homme à rester un mois chez lui, un an s'il le voulait. Il pourrait ainsi lui enseigner tout ce qu'il savait.

— Seigneur, répondit-il, je ne sais si je suis loin du manoir de ma mère, mais je prie Dieu qu'Il me permette de la voir encore. Je l'ai vue tomber à terre devant la porte à l'entrée du pont. Est-elle encore vivante ou est-elle morte ? Si elle est morte, c'est du chagrin causé par mon départ. Je partirai donc demain au lever du jour.

Nulle prière ne pouvait rien changer à son projet. Ils allèrent se coucher. À l'aube, le gentilhomme fit apporter une chemise et des culottes

1. Le mantel est un vêtement d'apparat : il est souvent offert en signe d'hospitalité.

2. Au Moyen Âge, les récipients à boire et à manger sont souvent partagés entre deux commensaux.

de lin, ainsi que des chausses teintes en rouge et une tunique de drap de soie violet tissé en Inde.

— Mon ami, voici les vêtements que vous allez mettre.

— Mais, cher seigneur, dit celui qui était déjà moins sauvage qu'à son arrivée, les habits que ma mère m'a faits ne sont-il pas mieux que ceux-ci ?

— Au contraire ! Et vous m'avez promis de faire tout ce que je vous commanderais !

Et le jeune homme s'écria qu'il n'avait qu'à ordonner. Le gentilhomme lui chaussa alors l'éperon droit, comme le voulait la coutume de l'adoubement d'un chevalier. Chacun se pressa pour lui mettre ses armes. Le gentilhomme prit l'épée, la lui remit et lui donna l'accolade[1], et il lui apprit qu'il venait de lui conférer avec l'épée l'ordre de chevalerie qui ne souffre aucune bassesse.

— Mon ami, il faudra vous souvenir de tout ce que je vais vous dire : si votre adversaire implore votre pitié, épargnez-le et ne le tuez pas. Évitez de trop parler : celui qui ne sait retenir sa langue pourrait bien laisser échapper un mot imprudent. S'il vous arrive de trouver dans la détresse et sans aide homme ou femme, dame ou demoiselle, aidez-

1. Il s'agit de la cérémonie de l'adoubement : Perceval est désormais chevalier. Il s'agit d'un rite initiatique au cours duquel le jeune homme reçoit armes et équipement.

les si vous le pouvez. Enfin, et c'est là une recommandation importante, allez volontiers à l'église prier Notre-Seigneur, afin qu'Il ait pitié de votre âme et vous garde comme son fidèle chrétien.

— Soyez béni, noble seigneur, vous parlez comme l'a fait ma mère !

— Écoutez-moi, mon ami, ne dites plus jamais que votre mère vous a appris telle ou telle chose ! C'est bien de l'avoir fait jusqu'ici, mais désormais il faudra surveiller votre propos, car on vous tiendrait pour fou.

— Que dire alors ?

— Dites que l'homme qui vous a donné tel enseignement, est le vavasseur qui vous a chaussé l'éperon !

— Seigneur, vous avez ma parole : plus jamais je ne parlerai d'autre que de vous !

Le gentilhomme fit sur lui le signe de la croix et lui dit :

— Que Dieu vous protège ! Je vous sens bien impatient de partir. Que Dieu vous guide !

Le jeune chevalier se sépara alors de Gornemant, car il lui tardait de revoir sa mère. Puisse-t-il la retrouver vivante !

4. Blanchefleur et le siège de Beaurepaire

Il pénétra dans la forêt solitaire et chevaucha si bien qu'il aperçut un château fortifié et bien situé. Pourtant, hors des murs, il ne vit que la mer, l'eau et une terre déserte. En hâte, il alla vers la porte : le pont était si frêle qu'il lui semblait qu'à peine pourrait-il supporter son poids. Arrivé devant une porte fermée à clef, il frappa fortement et appela à haute voix. Une jeune fille maigre et pâle accourut à une fenêtre de la grande salle :

— Qui appelle là ? demanda-t-elle.

Il leva les yeux vers elle :

— Belle amie, un chevalier qui demande l'hospitalité pour la nuit.

— Nous vous recevrons de notre mieux, mais, seigneur, vous ne nous en saurez que peu de gré !

Quatre serviteurs, la hache pendue au cou et l'épée ceinte, vinrent lui ouvrir. Ils étaient également amaigris et tout pâles de famine et de fatigue.

Dehors, tout était nu et en ruines, et l'intérieur de la ville forte était également déserté. Il n'y avait nulle trace d'être vivant, ni d'homme, ni de femme. Dans deux abbayes de la ville, des religieuses étaient désemparées, et les moines étaient pleins d'effroi. Les murs étaient en piètre état, les tours n'avaient plus de toit. Les portes claquaient, elles étaient béantes le jour et la nuit. Pourtant, la forteresse portait le nom de Beaurepaire, c'est-à-dire un lieu qui aurait dû regorger de beauté et de richesse. Les temps avaient bien changé !

Aucun moulin ne pouvait moudre, aucun four n'était brûlant : il n'y avait ni pain ni gâteau, rien que l'on pût acheter. Il était bien inutile de chercher du vin, de la cervoise ou du cidre. Le jeune homme fut accueilli par quatre serviteurs qui l'amenèrent vers un palais couvert d'ardoises : on lui apporta un mantel, et son cheval fut mené en un lieu où il n'aurait que peu de paille. Enfin on le guida jusqu'à une belle salle où de nobles chevaliers vinrent à sa rencontre. Tous semblaient accablés de soucis.

Beaurepaire était devenu un lieu d'afliction. La joie y était désormais rare. Les pauvres gens accueillaient leur hôte avec gêne. Il leur semblait de si haute noblesse qu'il ne pouvait, pensaient-ils, vouloir loger chez eux. En vérité, il ignorait tout de leur profonde misère.

Les gens du château ôtèrent son armure et on étendit sur l'herbe un tapis au pied d'un tilleul entouré d'un mur : ses branches pliées donnaient de l'ombre fraîche. Lorsque le jeune homme apparut sans son armure, il fit pâlir l'éclat du soleil, tant il était beau. On lui apporta un mantel de la même étoffe que la cotte qu'il portait, et la zibeline qui l'ornait avait une bonne odeur fraîche.

On lui demanda :

— Voulez-vous voir notre maîtresse ?

Le héros assura qu'il le ferait bien volontiers. On lui fit alors monter les marches d'un haut escalier, et une belle demoiselle descendit, guidée par deux princes aux cheveux gris et au noble visage. Sa beauté était incomparable. Voilà notre héros saisi d'une grande inquiétude. Sa courtoisie était si grande depuis que Gornemant l'avait délivré de sa naïveté et lui avait déconseillé de poser des questions, qu'il resta bouche close devant cette belle jeune fille qui était pourtant tout près de lui.

Elle était gracieuse et plus élégante et plus vive qu'un épervier ou un papegai[1]. Son manteau et sa tunique étaient d'un tissu de pourpre sombre étoilée d'or, fourrée d'une belle fourrure d'hermine, et une bordure de zibeline noire et blanche bordait le col de son mantel. Ses cheveux étaient épars sur ses épaules, blonds comme l'or luisant au soleil. Son front était comme taillé dans un beau marbre ou un bois précieux, et elle avait les yeux vifs et brillants. À sa vue, le chevalier la salua, et la demoiselle le saisit par la main :

— Cher seigneur, vous ne serez pas reçu ce soir comme il conviendrait. Mais acceptez l'hospitalité que je vous offre, et prenez la demeure telle qu'elle est.

Elle l'emmena en une belle et large chambre, avec un plafond sculpté, et ils s'assirent tous deux sur une couverture de brocard étendue sur un lit. Le jeune homme ne disait mot, et il se retenait de parler, se souvenant de ce que lui avait dit Gornemant.

« Ce chevalier est-il muet ? » se demandaient ceux qui les entouraient.

1. Un épervier et un papegai, pour les lecteurs médiévaux, évoquaient la vivacité, la couleur changeante et variée du plumage : pour parler de la beauté d'une femme, ce sont des oiseaux d'un grand prix.

Et tous parlaient à mots couverts des deux jeunes gens qui se taisaient. La demoiselle crut qu'il avait pour elle du dédain, en voyant l'état de la forteresse et peut-être sa propre pâleur. Elle finit par comprendre qu'il ne serait pas le premier à lui adresser la parole :

— Seigneur, c'est moi qui vous accueille, et c'est moi qui prendrai la parole en premier. Vous avez, en arrivant ici, offert vos services. Nous avons perdu l'habitude d'une telle générosité de la part des étrangers. D'où venez-vous, cher seigneur ?

— Ma demoiselle, j'ai logé chez un noble vavasseur qui m'accorde un très bon accueil. J'ignore le nom de sa demeure, mais il y avait cinq tours impressionnantes. Le maître du château s'appelle Gornemant de Goort. Sa loyauté est sans faille, et je l'ai quitté aujourd'hui même pour arriver jusqu'ici.

— Ah ! seigneur, comme vous avez raison de parler de sa noblesse ! Apprenez que je suis sa nièce. Ma mère était la sœur de votre hôte. Il vous a certainement reçu dans l'allégresse, à son habitude. Si Gornemant vous est cher, partagez avec nous ce soir cette vie qui est la nôtre. Je vais vous révéler maintenant quel tourment nous accable : nous souffrons d'une terrible disette. Chez nous, le pain manque, et nous n'aurons qu'un seul pain qu'un homme pieux m'a envoyé pour le souper. Ajoutez un petit baril de vin cuit et un chevreuil qu'un de mes hommes a tué ce matin d'une flèche de son arc.

Les deux vieillards qui l'entouraient l'assurèrent qu'en rentrant vers leur pavillon de chasse, ils lui enverraient douze pains, trois épaules de cerfs, ainsi que huit fromages et deux tonnelets de vin. Voilà qui pouvait les réconforter. Le peuple affaibli en fut réjoui, car plus d'un était déjà mort de faim.

Ils passèrent alors à table, mais le repas fut bref. On prépara le lit, la couverture avec des draps blancs. Mais la jeune fille avait décidé d'aller parler à son hôte afin de l'informer de ce qui la tourmentait. Elle voulait cette nuit chercher non l'amour, mais l'aide et le conseil de l'amitié. Elle portait une chemise de soie blanche, et s'enveloppa d'un manteau de soie écarlate. Elle pleurait et soupirait, des flots de larmes coulaient de ses yeux. Le jeune homme était endormi, mais elle pleurait si fort qu'il s'éveilla et la regarda.

— Pourquoi, belle amie, êtes-vous venue vers mon lit ?

— Ah ! noble chevalier, n'imaginez rien d'autre que mon désespoir. Le malheur s'acharne sur moi. Faudra-t-il que je me tue de ma propre main ? J'avais plus de trois cents chevaliers qui protégeaient ce château, et il n'y en plus que cinquante. Le sénéchal de Clamadeu des Îles les a emmenés pour les mettre à mort, peut-être. Or tous ont combattu pour me défendre. Le sénéchal nous tient assiégés depuis presque un an, un long hiver et tout un été. Nos forces diminuent de jour en jour, nous n'avons plus de vivres. Il faudra rendre le château, qui ne peut plus se défendre. Et moi, infortunée, je serai livrée à Clamadeu, à moins que je ne m'ôte la vie. Voici dans cet écrin un couteau à lame d'acier dont je saurai me servir !

Voilà ce que la jeune désespérée exposait au chevalier qui éprouvait un grand désir de se battre pour la défendre, elle, les siens et toute sa terre. Il l'encouragea :

— Reprenez courage, et venez dans ce lit vous étendre à côté de moi !

Ils passèrent alors la nuit dans les bras l'un de l'autre. Et, au matin, le jeune chevalier lui dit qu'il affronterait l'ennemi. La jeune fille en larmes vit partir celui qu'elle commençait à aimer. Or le sénéchal était convaincu que le château lui serait livré avant la nuit, à moins qu'un téméraire ne veuille lutter avec lui en combat singulier. Il se lança sur son cheval pour interpeller le vaillant chevalier qui lui demandait :

— Pourquoi as-tu tué les chevaliers ? Pourquoi as-tu ravagé cette terre ?

Poussé par l'orgueil et la démesure, l'autre répondit :

— Je meurs d'impatience, et j'ai déjà trop attendu. Qu'on vide le château, et qu'on me livre la demoiselle pour mon seigneur, Clamadeu des Îles !

— Te voilà bien ardent ! répliqua notre héros. Les choses n'iront pas comme tu le veux.

Le jeune homme baissa la lance, les deux adversaires se précipitèrent l'un sur l'autre. Les lances volèrent en éclats. Le sénéchal fut blessé au bras et à l'épaule, il tomba de son cheval. Le chevalier sauta à terre et tira l'épée. Ils combattirent longuement et avec fièvre. Finalement le sénéchal fut abattu au sol. Le jeune chevalier lui mit un genou sur la poitrine. L'autre se reconnut vaincu et cria merci. Le jeune homme allait le mettre à mort lorsqu'il se souvint du conseil de Gornemant : il fallait se garder de tuer un vaincu.

— Laisse-moi la vie, mon noble ami ! implora le vaincu. Si tu me tues, qui croira que tu as eu raison de moi en combat singulier ? En revanche, si je reste vivant et si je témoigne que c'est bien toi qui m'as vaincu par les armes, devant ma propre tente, ce que je dirai sera cru, et tu pourras faire connaître ta prouesse. Plutôt que de me prendre la vie, envoie-moi vers un grand seigneur en signe d'hommage : je lui parlerai de ton haut fait et me rendrai à lui de ta part.

Son adversaire le pria d'aller faire sa soumission à la souveraine de Beaurepaire :

— Eh bien, va donc vers la belle jeune fille que j'aime, et mets-toi en sa merci !

— Pitié, seigneur, elle me fera mettre à mort, et la pire que l'on puisse imaginer. Cherche plutôt quelqu'un qui serait moins déterminé à me nuire, je t'en supplie.

Le jeune homme prononça alors un nom, en décrivant le château dans tous ses détails, le pont et les petites tours et les puissantes murailles de l'enceinte, mais l'autre savait que ce lieu était encore plus redoutable :

— Noble seigneur, j'implore ta pitié. Ce serait pire que de me tuer de ta propre main : la mort m'y attend. Je sais que tu parles de Gornemant de Goort. Seigneur, donne-moi plutôt la mort, car j'ai tué son fils. Et pour mon sort à Beaurepaire, j'aurais le corps haché si menu à coup d'épées que je volerais comme poussière au soleil, car j'ai mis en peine dans cette ville nombre de vaillants chevaliers.

— Dans ce cas, c'est auprès du roi Arthur qu'il faudra te rendre. Tu le salueras de ma part, et tu demanderas à voir la jeune fille qui a été frappée par Keu parce qu'elle avait ri en me voyant. C'est entre ses mains que tu te rendras, c'est à elle que tu feras ta soumission, car elle a subi à cause de moi un dur affront. Dis-lui que, quoi qu'il arrive, jamais je n'éprouverai de bonheur tant que je ne l'aurai pas vengée en transperçant le bouclier qu'elle connaît. Dis au roi Arthur et à la reine, son épouse, ainsi qu'à toute la cour que je suis tout à leur service et que je reviendrai lorsque sera lavé l'affront que j'ai subi à cause de la jeune fille dont j'ai fait naître le rire. Dis-lui que je lui suis tout dévoué.

Voilà le chevalier vaincu prêt au départ.

On leva le siège, le vainqueur retourna au château, fêté par les assiégés qui vinrent à sa rencontre et lui témoignèrent de multiples marques d'honneur. Mais ils regrettaient qu'on ne leur ait pas ramené le vaincu auquel ils auraient fait le mauvais sort qu'il méritait.

— Le ramener chez vous ? s'écria le jeune chevalier. Je n'aurais pu lui garantir la vie ! Je lui ai trouvé la meilleure des prisons : celle du roi Arthur.

5. Clamadeu des Îles

La jeune souveraine se précipita vers lui, l'entraînant vers le repos et les délices de l'amour. Elle l'aida à enlever ses armes et le serra contre sa poitrine :

— Jamais je ne serai l'épouse d'aucun autre homme que celui que je viens d'embrasser devant tous ! dit-elle.

D'ailleurs, les gens de la ville vinrent lui jurer fidélité et lui demander d'être leur seigneur. On demanda à l'un et à l'autre s'ils consentaient au mariage. C'est alors qu'on aperçut en haut des remparts de belles voiles rouges : un vent puissant les poussait vers le port. C'étaient des navires qui portaient une cargaison de vivres, ce qui mit tout le monde en joie. On décida donc de célébrer la cérémonie des noces dans les plus courts délais. Devant le prêtre, les jeunes mariés échangèrent des promesses de bonheur et de tendresse.

Pendant ce temps, Clamadeu le seigneur des Îles croyait déjà avoir le château à sa merci. L'un de ses hommes dut lui apprendre que son sénéchal s'était rendu et se trouvait désormais chez le roi Arthur.

— Mais d'où vient un chevalier d'un mérite tel qu'il puisse avoir raison d'un homme aussi valeureux que mon sénéchal ?

— Je ne sais, mon seigneur, lui dit un messager. Tout ce que je peux vous dire, c'est qu'il portait une armure vermeille en sortant de Beaurepaire.

Que faire ? Un chevalier d'expérience conseilla à Clamadeu de poursuivre le siège. À l'intérieur des murs de Beaurepaire, il ne devait plus guère y avoir de nourriture, pensait-il.

« Le chevalier venu au secours de la reine Blanchefleur se montrera décidé au combat, mais nous serons plus forts que lui, et nous parviendrons à cerner le lieu. »

Ainsi Clamadeu envoya-t-il vingt chevaliers déployant au vent leurs bannières colorées. Le jeune seigneur de Beaurepaire s'élança pour affronter les arrivants. À lui seul, il les affronta tous ensemble. Certes il ne se comportait pas comme un débutant : de sa lance, il transperçait les poitrines, il rompait les membres et brisait les os. Les assiégés attendaient l'assaut en rangs serrés. Les archers défendaient leurs maîtres et tiraient sur la foule des assaillants. Pour finir, une troupe réussit à pénétrer à l'intérieur des murs, mais les habitants de la forteresse firent tomber une lourde porte qui écrasa tous ceux qui la franchirent. Voilà une bataille perdue !

Pourtant le chevalier qui avait conseillé Clamadeu l'encouragea à attendre jusqu'au lendemain : Beaurepaire ne pourrait tenir, pensait-il, plus de deux jours. Ainsi l'on dressa des tentes devant les murs. Et à l'intérieur du château, on désarma les prisonniers, mais on ne les mit pas au cachot : on exigea simplement d'eux la promesse de ne pas chercher à s'enfuir ni à prendre les armes.

Comme vous venez de l'entendre, ce jour-là, un bon vent avait mené vers les côtes des navires chargés de blé et de vivres, qui abordèrent aux pieds du château. C'étaient des marchands avec des provisions à vendre : viande salée, pain et vin, et du bétail à abattre, des bœufs et des porcs. Imaginez comment ils furent accueillis : on leur promit des lingots d'or et d'argent. Les marchands déchargèrent les vivres. L'abondance ramena la joie, car les assiégés avaient désormais des viandes salées et du froment jusqu'à l'été suivant. Les serviteurs faisaient chauffer les fourneaux, les cuisiniers s'activaient. Le jeune homme et sa belle épouse s'adonnaient à la joie.

Les assaillants savaient maintenant que le siège n'avait servi à rien. Clamadeu fit envoyer un messager au château : si le Chevalier Vermeil osait accepter le défi, qu'il sorte des murs ! Clamadeu voulait l'attendre jusqu'au lendemain. Mais tous dans le château suppliaient leur seigneur de ne pas affronter un homme que nul jusque-là n'avait pu vaincre. Pourtant rien au monde ne put le faire reculer.

Ainsi l'inquiétude pesa sur la nuit. Tous regrettaient que leurs supplications eussent été vaines. Pourquoi accepter le défi, se demandait la jeune reine, mais les mots les plus doux et les baisers les plus tendres ne le firent pas renoncer à la bataille.

Au matin, il se fit apporter les armes et se mit en selle sur le cheval d'Islande qu'on lui avait amené. À la vue du jeune homme, Clamadeu s'imagina que le combat ne serait pas long. Sur la lande large et belle, la lance en arrêt, ils s'élancèrent l'un sur l'autre. Les lances aux hampes de frêne étaient puissantes, les fers bien aiguisés. Chacun fit tomber son adversaire, puis ils s'affrontèrent à l'épée, tous deux décidés à ne pas reculer. À quoi bon vous décrire leurs gestes prodigieux ? Clamadeu dut s'avouer vaincu. Il accepta les conditions imposées par le vainqueur et, tout comme son sénéchal, supplia de ne pas être envoyé à Beaurepaire ni au château de Gornemant. Mais il devrait se rendre auprès du roi Arthur, et s'il voyait la jeune fille souffletée par Keu, il devrait se mettre entre ses mains. Il devrait libérer ses prisonniers, enfin s'engager à ne plus jamais inquiéter le royaume de Beaurepaire.

Ainsi Clamadeu revenu sur ses terres libéra les prisonniers et, tout seul, prit le chemin de la cour d'Arthur. La coutume voulait qu'un chevalier vaincu rejoigne seul sa prison dans l'équipement qu'il portait lors de sa défaite. Clamadeu suivit donc les traces de son sénéchal vers Disnadaron où Arthur tenait sa cour. À trois étapes d'intervalle, ils se suivaient. Enfin le sénéchal vit arriver son maître, tout teinté de sang :

— Ah ! quelle aventure ! s'écria-t-il. C'est le jeune homme à l'armure vermeille qui envoie ici mon seigneur. Clamadeu des Îles est son nom, et je le croyais invincible.

C'était alors la fête de la Pentecôte. À la cour, la reine Guenièvre était assise avec le roi Arthur à la haute table, entourés de comtes, de ducs et de rois, de reines et de comtesses. Keu était là, sans mantel, tenant de sa main droite une baguette, coiffé d'un chapeau de feutre clair ; les cheveux tressés, il était magnifique, mais sa beauté était ternie par les sarcasmes qui sortaient de sa bouche. Sa tunique était d'un beau drap de soie colorée. Sa ceinture était précieusement ouvragée d'or. Cependant tous redoutaient sa mauvaise langue. Il invita le roi à manger, mais Arthur ne voulut toucher à un seul mets avant d'avoir appris des nouvelles palpitantes.

Et précisément voici qu'arrivait Clamadeu, armé comme il se doit.

— Écoutez, noble roi, le message dont je suis porteur, proclama-t-il. Un chevalier m'a vaincu et exige de moi que je me rende à vous. Si vous me demandez son nom, je ne pourrai vous répondre. Mais on pourra le reconnaître aux signes suivants : il porte une armure vermeille et dit que c'est vous qui la lui avez donnée.

— Mon ami, dis-moi comment il se porte !

— Fort bien ! C'est le plus merveilleux chevalier que j'aie jamais rencontré. Il m'a dit de rechercher la jeune fille qui ne riait plus, et dont le rire a couvert Keu de honte, si bien qu'il l'a frappée.

Alors le fou sauta de joie :

— Seigneur mon roi, ce coup sera vengé. Keu en aura le bras rompu et le portera en écharpe pendant des mois.

Le roi Arthur se lamentait : il blâma Keu d'avoir chassé le jeune chevalier par ses sarcasmes. Il ne s'en consolerait jamais.

Clamadeu fut mené vers les appartements de la reine : il trouva la jeune fille qui apprit avec joie les nouvelles qu'elle souhaitait. Alors, le roi demanda à Clamadeu de faire désormais partie de sa maison.

Quant à celui qui avait libéré la terre de Blanchefleur, il vivait auprès de sa bien-aimée dans la joie. Seule une pensée le tourmentait : il se souvenait de sa mère qu'il voyait encore, dans son souvenir, tombée à terre, et il désirait la voir plus que nulle autre créature au monde. Tous le suppliaient de rester, et il leur fit une promesse : si sa mère était vivante, il la ramènerait et serait pour toujours le seigneur du royaume. Si elle était morte, il reviendrait aussi.

Au sortir des murailles, il vit s'avancer une procession solennelle, comme au jour de l'Ascension. Les moines étaient tous revêtus d'une chape de fine soie, les religieuses étaient voilées.

— Nous sommes plongés dans l'affliction, disaient-ils, car celui qui nous a libérés et tirés de l'exil et qui nous a rendu nos demeures veut nous abandonner. Notre tristesse est indicible !

— Séchez vos larmes, leur dit le jeune homme. Je reviendrai, et Dieu m'y aidera. N'est-il pas juste que j'aille voir ma mère, qui se trouve seule dans le bois que l'on appelle la Forêt Déserte ? Que je la trouve en vie ou non, je reviendrai parmi vous. Si elle vit, elle se fera religieuse et sera des vôtres. Si elle est morte, j'ordonnerai un service en sa mémoire, dans cette église, afin que Dieu lui accorde l'entrée dans son paradis. Priez Dieu qu'Il me ramène à vous !

Tous s'en retournèrent alors, et le jeune homme s'en alla, la lance levée, comme au jour de son arrivée.

6. Au château du Graal

Toute la journée le chevalier chemina et ne rencontra aucune créature qui pût le renseigner. Il ne cessait de prononcer ses prières et de supplier Dieu le Père souverain de lui permettre de retrouver sa mère en vie et en bonne santé. Au pied d'une colline il aperçut soudain une rivière dont l'eau était bouillonnante, si bien qu'il hésita à s'y engager.

« Seigneur Dieu, dit-il, si je pouvais traverser cette eau, je trouverais ma mère de l'autre côté, si elle est encore vivante. »

Il approcha alors d'une paroi de rocher sur le rivage et aperçut une barque qui allait au fil de l'eau. Deux hommes y étaient assis. Il espéra qu'ils viendraient jusqu'à lui, mais il les vit jeter l'ancre au milieu de la rivière. À l'avant de la barque, l'un d'eux pêchait à la ligne et préparait son hameçon. Ne sachant comment passer la rivière, le chevalier les salua :

— Seigneurs, pouvez-me dire s'il y a un gué ou un pont pour passer la rivière ?

— Non, mon ami, répondit l'homme qui pêchait. Pour autant que je sache, il n'y en a pas à vingt lieues à la ronde. Vous ne pourrez passer ni pont ni gué.

— Où pourrai-je alors trouver un logis pour ce soir ?

— Eh bien ! c'est moi qui vous hébergerai cette nuit. Montez par cette faille dans la roche et vous apercevrez, en un vallon, une demeure près de la rivière et de la forêt. C'est là que j'habite.

Le chevalier fit aller son cheval jusqu'au sommet de la colline et regarda devant lui, sans voir autre chose que le ciel et la terre.

— Pêcheur, t'es-tu moqué de moi ? s'écria-t-il. As-tu voulu me nuire ?

À peine ces mots étaient-ils prononcés qu'il vit émerger tout soudain le sommet d'une tour. Jusqu'à Beyrouth on n'en aurait vu d'aussi belle ni d'aussi bien construite : de forme carrée, toute de pierre bise et entourée de deux tourelles. La grande salle, c'était visible, se trouvait en avant de la tour, et il y avait des galeries en avant de la salle.

Maintenant le chevalier se félicitait de sa bonne rencontre, et rassuré, il se rendit vers un pont-levis où quatre jeunes gens vinrent à sa rencontre. Deux lui enlevèrent son armure, le troisième s'occupa de son cheval, le quatrième lui fit revêtir un mantel d'écarlate[1] tout neuf. Entré dans la grande salle, le chevalier vit, assis sur un lit, un vieil homme aux cheveux blancs. Il portait sur sa tête une coiffure de zibeline noire comme mûre, recouverte de pourpre. Il était accoudé et devant lui, entre quatre colonnades, brûlait un grand feu de bûches sèches. La salle était immense : elle aurait pu recevoir quatre cents hommes. Les puissantes colonnades sur lesquelles reposait la cheminée étaient d'airain massif.

Le vieil homme salua son hôte :

— Mon ami, ne m'en veuillez pas si je ne puis me lever pour vous faire honneur !

— Je n'en suis nullement fâché, répondit le jeune homme. Que le Ciel vous donne joie et santé !

Le seigneur fit un effort pour se soulever et demanda au chevalier de s'asseoir auprès de lui. Il lui demanda :

1. L'écarlate est une étoffe fine de drap ou de soie dont la couleur est variable.

— D'où arrivez-vous aujourd'hui ?

— D'un château nommé Beaurepaire.

— Quelle longue journée ! Vous avez dû partir très tôt, avant même que le guetteur n'ait annoncé l'aube !

— Non, c'était après la première heure du jour, je vous l'assure.

Tels furent leurs propos. À ce moment-là entra un jeune homme portant une épée suspendue à son cou. Le seigneur la tira du fourreau, vit bien où elle avait été forgée : une inscription le lui indiquait. Elle était d'un acier si dur qu'elle ne pourrait jamais se briser, sauf en une unique occasion que seul connaissait celui qui l'avait forgée.

— Seigneur, dit le jeune homme, votre nièce vous envoie ce don. Jamais vous ne verrez d'épée plus légère, et vous la donnerez à qui vous voudrez. Ma maîtresse serait heureuse de la savoir entre de bonnes mains. Celui qui l'a forgée n'en a fait que trois, et il est bien vieux, si bien qu'il ne pourra en forger d'autre après celle-ci.

Alors le vieil homme la tendit à l'étranger, en la tenant par le baudrier qui valait un trésor. Le pommeau était de l'or le plus pur que l'on pût trouver en Arabie ou en Grèce. Le fourreau était brodé d'or comme on le faisait à Venise. Il en fit don au jeune homme :

— Noble seigneur, cette épée vous est destinée. Regardez-la, il faut la ceindre, puis tirer la lame.

Le chevalier l'en remercia et la tira nue hors du fourreau. Elle lui allait à merveille, et il avait l'air d'un vaillant homme qui saurait en user à de bonnes fins.

Il confia la précieuse épée au jeune homme qui gardait ses armes près de la claire cheminée, et alla se rasseoir auprès de son hôte qui lui donnait les plus grandes marques d'estime. Des flambeaux illuminaient la salle avec splendeur. Et voici qu'un autre jeune homme parut, sortant d'une chambre voisine, tenant par la hampe une lance étincelante. Il passa devant la cheminée, et tous purent contempler la lance et le fer ainsi que la goutte de sang qui perlait sur le fer de la lance et coulait sur la main du jeune homme qui la portait. Une telle merveille étonna fort le nouveau venu, qui se retint de demander ce que signifiait cet objet étonnant. Car il se souvenait bien de l'enseignement de son maître Gornemant : ne fallait-il pas se garder de trop parler ? Il craignait, en posant cette question, d'être pris pour un sot. Il resta donc muet.

Il vit alors défiler deux autres jeunes gens, chacun tenant un chandelier d'or couvert d'émaux, et sur chaque chandelier brûlaient au moins dix chandelles. Puis arriva un graal, tenu à deux mains par une jeune fille très élégante et fort somptueusement habillée. Quand elle fut dans la salle, une si merveilleuse clarté se répandit que les chandelles pâlirent comme les étoiles ou la lune lorsque se lève le soleil. À sa suite venait une autre demoiselle, portant un plateau à découper en argent.

Le graal était d'or pur, des pierres précieuses y étaient serties, les plus diverses et les plus rares que l'on pût trouver dans le monde. Et nulle pierre précieuse n'aurait su se comparer à celles du graal. Les jeunes filles passèrent, puis disparurent dans l'autre chambre. Le chevalier restait fidèle à la leçon de son maître plein de sagesse, et ne posa aucune question, n'osant demander à qui l'on destinait le service du graal. Mais se taire, n'est-ce pas plus grave parfois que de trop parler ?

Le seigneur du lieu ordonna aux serviteurs de mettre les nappes, et pendant que lui-même et son hôte se lavaient les mains dans une eau tiède, deux jeunes gens apportèrent une belle table d'ivoire. À ce que rapporte le conte que j'ai lu, elle était d'une seule pièce. Les jeunes gens la tinrent un bon moment devant leur maître et le jeune homme, tandis qu'on apportait deux tréteaux de bois d'ébène, dont on dit qu'il est indestructible et ne pourrit jamais. On posa la table sur les tréteaux, puis la nappe fut disposée, la plus blanche jamais déployée pour un cardinal ou un pape. Le premier plat fut une hanche de cerf assaisonnée de poivre, accompagnée d'un vin clair servi dans une coupe d'or. Un jeune homme était chargé de trancher la viande, il présentait les tranches sur un gâteau entier.

Une seconde fois, le graal passa devant les convives : pourtant le jeune homme ne demanda pas qui l'on servait. Il pensait à Gornemant qui l'avait si instamment mis en garde contre l'excès de paroles. Pourtant ici le silence aurait dû être brisé. À chaque plat que l'on servait, il voyait passer devant lui le graal, sans savoir qui l'on servait. Le jeune homme brûlait de curiosité, mais il mit un frein à sa langue. Il sera temps de poser la question, se dit-il, le lendemain, au moment de quitter son hôte.

La table fut somptueusement servie, comme pour des rois, des comtes et des empereurs. Les vins étaient exquis, les mets étaient tous succulents. La soirée se passa en conversations, pendant que les serviteurs préparaient les lits et qu'on servait les fruits réservés au moment du coucher : dattes, figues, noix de muscade, girofles et grenades, pâte au gingembre d'Alexandrie, gelée aux aromates, le tout accompagné de délicieuses boissons, vin sucré sans miel ni poivre, vin de mûres et sirop limpide.

Le jeune homme était stupéfait : il n'avait pas l'habitude d'un tel raffinement. Puis il fut invité au repos par le vieil homme, qui se fit emporter par les siens, puisqu'il ne pouvait se mouvoir. Quatre serviteurs saisirent le couvre-lit aux quatre coins pour l'emporter vers sa chambre. Quant au jeune chevalier, on lui enleva ses chausses et ses vêtements, et on le conduisit vers un lit pourvu de draps blancs de lin.

Il dormit jusqu'au matin, à l'heure où s'était déjà montrée la clarté de l'aube. Mais à sa stupéfaction, au réveil, il ne vit personne dans la demeure. Il se leva, s'habilla, alla prendre ses armes qu'il trouva au bout de la table comme la veille au soir. Ainsi équipé, il passa devant toutes les portes des chambres, mais elles étaient fermées à double tour. Il heurta et appela tant qu'il put. Personne ne lui répondit. Il avait beau frapper et cogner, personne ne se montra.

Il descendit alors les marches de la salle, trouva son cheval sellé, la lance et le bouclier appuyés contre le mur. Il inspecta les lieux, mais ne vit personne, ni serviteur, ni chevalier. Il n'y avait âme qui vive. Le pont-levis était baissé : il pouvait partir librement. Il se dit alors qu'il pourrait trouver en dehors des murs quelqu'un qui lui apprendrait ce qu'était ce graal mystérieux et cette étonnante lance d'où coulait la goutte de sang. Dès qu'il fut passé, mystérieusement le pont se releva. Le jeune homme appela :

— Toi qui as levé le pont, montre-toi ! Où es-tu ?

Mais personne ne lui répondit. Il vit alors des traces de sabots dans la forêt, et s'élança dans le bois. Il aperçut tout soudain une jeune fille sous un chêne, qui pleurait et se lamentait :

— Ah ! comme je suis malheureuse ! Maudit soit mon destin ! Je vois devant moi le corps de mon ami. Dieu aurait mieux agi en me faisant mourir. L'être que j'aimais est mort, que me vaut la vie maintenant ?

Devant elle gisait le corps d'un chevalier dont la tête était coupée ! Le jeune homme s'approcha et la salua, mais elle ne cessait de sangloter.

— Qui a tué ce chevalier dont le corps repose sur vos genoux ? demanda-t-il.

— Noble seigneur, un chevalier l'a tué ce matin même. Mais je suis très surprise ! Tous savent qu'à vingt-cinq lieues à la ronde, on ne pourrait trouver d'hébergement. Et je vois que votre cheval a passé une bonne nuit : son poil est lustré, il a dû avoir de l'avoine et une bonne litière de foin. Vous-même avez apparemment passé une nuit paisible dans une bonne demeure.

— Assurément j'ai eu tout le repos que je pouvais souhaiter, et en un lieu qui n'est guère éloigné d'ici. Vous ne semblez pas connaître le pays. J'ai été accueilli en un lieu étonnant !

— Ah ! seigneur, dit-elle, avez-vous été reçu chez le riche Roi Pêcheur ?

— Je ne sais, demoiselle, s'il est roi ou pêcheur, mais il est très riche, et ce que je puis vous dire encore, c'est que j'ai vu hier deux hommes dans une barque qui avait jeté l'ancre dans la rivière. L'un d'eux tenait les rames, l'autre péchait à la ligne, et c'est lui qui m'a accueilli pour la nuit.

— Ah ! seigneur, il est roi, mais il fut mutilé en une bataille et n'a plus l'usage de ses jambes. Un coup de javelot entre les deux cuisses l'en a privé. Il ne peut plus monter à cheval, et quand il veut se divertir un peu, il va sur la rivière pêcher à l'hameçon. D'où son nom de Roi Pêcheur. Il ne peut plus chasser dans les bois, les champs ou au bord des rivières. Il a donc fait bâtir une demeure digne d'un roi riche et puissant.

— En effet, demoiselle, j'ai vu hier des choses étonnantes. Il m'a accueilli et m'a fait asseoir auprès de lui en s'excusant de ne pas se mouvoir.

— Dites-moi : avez-vous vu la lance dont le fer saigne, bien qu'il n'y ait là ni chair ni veine ?

— Certes, oui, demoiselle !

— Et avez-vous demandé pourquoi elle saignait ?

— Non, demoiselle, je n'ai pas prononcé une parole.

— Comme vous avez mal agi ! Et avez-vous vu le Graal ?

— Oui, en vérité !

— Et qui donc le portait ?

— Une jeune fille élégamment vêtue.
— Et d'où venait-elle ?
— Elle sortait d'une chambre.
— Et où est-elle allée ?
— Vers une autre chambre où je l'ai vue disparaître.
— Y avait-il quelqu'un devant le Graal ?
— Deux jeunes gens.
— Et que tenaient-ils dans leurs mains ?
— Un chandelier avec des chandelles lumineuses.
— Et qui venait après le Graal ?
— Une autre jeune fille.
— Et que tenait-elle ?
— Un petit plat à découper en argent.
— Avez-vous demandé à ces personnes où elles se rendaient ?
— Pas un mot n'a franchi mes lèvres !
— Ah ! mon ami, dites-moi donc votre nom !

À ces mots, il tressaillit. Lui, qui ignorait son propre nom, soudain le devina et répondit qu'il s'appelait Perceval le Gallois, et il sut qu'il disait la vérité. À ce nom, la demoiselle se dressa comme prise de fureur :

— Ton nom est changé, chevalier ! Ah ! Perceval l'Infortuné ! Malheureux Perceval, quelle infortune de n'avoir su poser la question ! C'eût été un tel bienfait pour le roi qu'il aurait retrouvé l'usage de ses jambes et aurait pu, comme un vrai roi, gouverner sa terre. Tu aurais guéri le roi infirme et délivré la Terre Gaste de la malédiction[1]. La cause de ton silence est le péché dont tu es responsable à l'égard de ta mère : tu l'as fait mourir de chagrin. Sache que je te connais, et mieux que tu ne me connais : j'ai été élevée avec toi chez ta mère, je suis ta cousine germaine et tu es mon cousin germain. Et je suis affligée que tu n'aies pas demandé ce qu'on faisait du Graal et où on le portait, ce qui est cause pour moi d'une douleur égale à la mort de mon ami.

— Cousine, comment savez-vous le sort de ma mère ?

— Comment ne le saurais-je pas ? Je l'ai vu mettre en terre.

— Que Dieu ait pitié de son âme ! dit Perceval. Quelle triste nouvelle ! Je voulais la retrouver, et j'étais parti en quête pour la revoir. Mais il me faut maintenant prendre une autre route, et si vouliez venir avec moi, j'aimerais beaucoup votre compagnie. Laissons les morts avec les morts, et que les vivants restent avec les vivants ! Mieux vaut punir celui qui a tué le chevalier que vous aimiez. Si je puis l'atteindre, je l'obligerai à implorer ma pitié.

1. La Terre Gaste est un lieu mythique : « gaste » signifie « dévastée », car la terre est rendue stérile par une faute qui agit comme une malédiction.

Mais la jeune fille restait accablée de douleur. Elle lui indiqua le chemin empierré par où était parti le chevalier cruel qui avait décapité son ami. Elle lui demanda encore où il avait pris l'épée qui pendait à son côté gauche et qui n'avait encore jamais fait couler le sang d'aucun homme.

— Je sais bien, dit-elle, qui l'a forgée, mais ne comptez pas sur elle, elle vous trahira quand vous irez à l'assaut, et elle volera en éclats.

Mais il répliqua :

— C'est l'une des nièces de mon hôte qui la lui a apportée. Il m'en a fait don. Mais je suis très inquiet de ce que vous me dites. Si elle se brisait, serait-il possible de la faire réparer ?

— Oui, répondit-elle, mais non sans mal. Il faudrait trouver le chemin du lac de Cotoatre, la faire forger et tremper à nouveau. Trébuchet le forgeron pourrait la refaire. Aucun autre ne saurait y mettre la main[1].

Il la quitta alors, et elle resta auprès du corps de son ami. La douleur ne cessait de l'accabler.

1. Il s'agit ici d'un motif typiquement celtique : l'épée forgée par un forgeron de l'Autre Monde, en dessous de la surface d'un lac.

7. Perceval et l'Orgueilleux de la Lande

Perceval, désormais nommé Perceval l'Infortuné, suivait un sentier bien indiqué, et vit marcher à très lente allure un palefroi décharné et fatigué. En vérité, ce n'était plus que l'ombre d'un palefroi : il ressemblait bien plutôt à un cheval accablé de travail et mal nourri. Ses oreilles pendaient, il n'avait que la peau sur les os. La housse et les courroies étaient détachées et pendaient. Ses crins étaient tondus. Sur sa croupe était assise une jeune fille d'aspect pitoyable. Pourtant elle aurait été belle si elle avait été mieux lotie. Sa robe était ficelée autour de son corps et laissait entrevoir sa poitrine. Sa chair était toute brûlée par le froid, la grêle et le gel. Elle n'avait pas de coiffure, et son visage était creusé par les larmes.

Pris de compassion, Perceval alla vers elle. Elle tenta de se couvrir mais ne put que gémir :

— Dieu, accorde-moi la mort ! Mon existence est misérable ! Qu'on me délivre de celui qui m'impose cette honte ! Il prolonge ma vie et jouit de ma misère.

— Que Dieu vous protège ! dit Perceval

— Seigneur, qui me salues si courtoisement, que ton cœur reçoive tout ce qu'il désire, même s'il ne le mérite pas !

Perceval fut très surpris par ces propos :

— Pourquoi ? Demoiselle, pourquoi donc ? Je suis certain de ne jamais vous avoir vue, et je ne vous ai donc jamais causé de tort.

— Personne ne doit me saluer : si l'on me regarde, je suis accablée d'angoisse.

— Comme je le déplore ! dit Perceval. C'est le hasard de mon chemin qui m'a amené vers vous, mais je souhaite apprendre quelle triste aventure vous a plongée dans la détresse.

— Laissez-moi en paix, s'écria-t-elle. Votre péché, seigneur, vous retient en ces lieux. Fuyez !

— Fuir, et de quoi aurais-je peur ? Qui m'adresse des reproches ou des menaces ?

— Fuyez, seigneur ! N'attendez pas que l'Orgueilleux de la Lande revienne. S'il vous trouve ici, il vous tuera. Il tue tous ceux qui m'adressent la parole, et avant de leur donner le coup fatal, il raconte à chacun pourquoi il m'inflige de si mauvais traitements !

Et voici que l'Orgueilleux, sauvagement monté sur un cheval fougueux qui soulevait un nuage de poussière, arrivait en hurlant :

— Maudit sois-tu, toi qui t'es attardé auprès de cette jeune fille ! Comme tu l'as arrêtée, ne fût-ce que quelques instants, tu vas subir la mort. Voici pourquoi : un jour je l'avais laissée sous une tente ronde, cette demoiselle que j'aimais plus que toute créature au monde. Un jeune Gallois passait par là, il lui arracha, me dit-elle, un baiser de force. Et si elle y consentit, probablement l'autre en tira-t-il d'autres plaisirs. Dès lors qu'on embrasse une femme, pourquoi s'arrêter là ? Les femmes ont tout pouvoir sur les hommes. Elles prétendent céder contre leur gré, mais en fait, elles accordent tout selon leur propre désir. Je suis donc convaincu qu'il a obtenu plus qu'un baiser. D'ailleurs ne lui a-t-il pas enlevé un anneau qu'elle portait à son doigt ? Et il a bu de mon vin et mangé des pâtés que l'on avait mis de côté pour moi. Voilà le prix que paie mon amie. J'ai donc juré que son palefroi n'aurait plus aucun soin, et qu'elle-même n'aurait aucune nouvelle cotte ni de mantel tant que je n'aurai pas vaincu celui qui s'est emparé de ce qui était à moi !

Perceval répondit :

— Ami, soyez assuré qu'elle a payé le prix plus qu'il n'était nécessaire, car c'est moi qui lui ai arraché ce baiser, et elle s'en est défendue. C'est moi qui lui ai arraché son anneau. Voilà toute ma faute ! À part cela, quel mal y avait-il à manger un pâté et à boire du vin à ma soif ?

— Sur ma foi, répondit l'autre, tu l'avoues ! Tu as donc mérité la mort.

— La mort ? Elle est encore bien loin de moi ! répliqua Perceval.

À ces mots, ils s'élancèrent l'un contre l'autre, pris d'une telle fureur que les lances volèrent en éclats et qu'ils tombèrent de leurs montures. Ils se relevèrent rapidement, tirèrent l'épée pour se porter des coups terribles. Le combat fut si âpre que je ne saurais le décrire. Enfin l'Orgueilleux fut vaincu, mais Perceval n'oublia pas ce que lui avait enseigné Gornemant :

— Sur ma tête, je ne t'épargnerai que si tu épargnes ton amie. Elle n'a pas mérité d'être traitée ainsi, c'est moi qui le jure.

En vérité, le chevalier aimait la jeune fille, et il répondit :

— Commandez, et votre ordre sera obéi. Si j'ai été injuste à son égard, j'en ai le cœur attristé.

— Emmène-la au manoir le plus proche, dit Perceval. Fais-lui donner tous les soins nécessaires, fais-la revenir à la santé. Qu'elle aille ensuite, bien vêtue et parée, à la cour du roi Arthur. Tu le salueras de ma part et te rendras à lui, avec ton armure, tel que tu es en cet instant. Et s'il te demande qui t'envoie, tu lui répondras que c'est le jeune homme qu'il a fait Chevalier Vermeil sur le conseil de monseigneur Keu son sénéchal. Et tu raconteras au roi les tourments que tu as infligés à la jeune fille, tu parleras devant toute la cour, afin que tous puissent t'entendre. Surtout l'une d'elles, qui a ri de joie en me voyant venir. Elle a reçu de Keu, pour ce rire, un coup cruel. Tu lui diras que je souhaite la venger.

Le chevalier promit de se mettre en route, dès que la jeune fille aurait repris des forces. Ne pouvait-il aussi emmener son vainqueur ?

— Mon chemin est long encore, répondit Perceval. Il me faut maintenant chercher un autre logis.

Le soir même, le chevalier fit préparer un bain pour son amie ; il lui procura de somptueux vêtements, et elle recouvra sa beauté. Tous deux se dirigèrent vers Carlion où le roi Arthur tenait sa cour. Celle-ci rassemblait trois mille chevaliers de grand mérite. En présence de tous, le chevalier accompagné de la demoiselle se remit entre les mains du roi Arthur :

— Seigneur, je me rends prisonnier. C'est ce que m'a ordonné le jeune homme qui a obtenu de vous une armure vermeille !

Le roi comprit aussitôt :

— Enlevez vos armes, noble seigneur, et que Dieu donne la joie à ce chevalier qui vous envoie vers moi ! À cause de son mérite, vous serez bien accueilli dans ma demeure.

— Seigneur, il m'a ordonné autre chose, mais avant d'enlever mon armure, je voudrais prier la reine et toutes les demoiselles de venir écouter mon message. Je ne puis le faire qu'en présence de la jeune fille qui fut frappée pour avoir osé rire un seul instant.

Le roi fit venir la reine, qui apparut aussitôt suivie de toutes ses demoiselles marchant deux à deux et se tenant la main.

— Reine noble et généreuse, je vous salue de la part d'un chevalier que j'admire et qui m'a vaincu au combat. Il vous confie mon amie, cette jeune fille que vous voyez à mon côté.

Le chevalier relata alors l'infamie qu'elle avait dû endurer. Il en raconta tous les détails, en expliquant pourquoi il l'avait traitée ainsi. On lui désigna alors celle qui avait ri, et il se tourna vers elle :

— Celui qui m'envoie ici m'a ordonné de vous saluer et de répéter devant vous son serment : il ne rentrera pas à la cour du roi Arthur avant de vous avoir vengée du coup que vous avez reçu pour lui.

À ces propos, le fou bondit de joie :

— Seigneur Keu, voici venir le moment de payer votre dette !

Arthur dit alors :

— Ah ! Keu, comme tu as témoigné de peu de courtoisie lorsque tu t'es moqué de ce jeune homme ! À cause de toi, il est parti. Le reverrai-je jamais ?

Le prisonnier eut alors la permission de s'asseoir. Le roi ordonna de lui faire enlever ses armes et de lui épargner la captivité. Monseigneur Gauvain, à la droite du roi, lui dit :

— Au nom de Dieu, seigneur, qui est donc ce jeune homme si valeureux ? Dans toutes les Îles de la mer, je n'ai jamais entendu nommer nul chevalier qui, en fait de prouesses, aurait pu se comparer à l'Orgueilleux de la Lande !

— Mon cher neveu, répondit Arthur, je l'ai vu, mais je ne puis dire qui il est. Je n'ai pas su lui poser de question. Il voulait être fait chevalier à l'instant. Je lui ai répondu : « Bien volontiers, on va vous apporter une armure dorée. » Mais il m'a répondu qu'il n'en voulait pas et qu'il voulait à tout prix une armure vermeille, et surtout celle du chevalier qui emportait ma coupe. Keu, dont la mauvaise langue est connue, Keu qui ne sait dire de mot courtois à qui que ce soit, lui a dit avec perfidie : « Allez donc chercher l'armure que vous voulez : le roi vous la donne ! » Alors le jeune homme, un peu naïf, est parti d'un trait et a tué, sans attendre, le chevalier à la coupe. Ce dernier lui a donné assurément le premier coup, puis le jeune homme lui a transpercé l'œil de son javelot et l'a laissé mort sur place. Il s'est emparé de l'armure vermeille et, ma foi, il me sert si bien que, par monseigneur David que l'on prie en pays de Galles, je décide de ne jouir d'aucun repos deux nuits de suite dans la même demeure tant que je ne l'aurai pas retrouvé, s'il est en vie, sur mer ou sur terre. Et je vais donc partir à sa recherche.

En entendant ces mots, tous comprirent qu'il fallait se mettre en route.

8. Les belles gouttes de sang sur la neige

Le départ d'un roi n'est pas un départ de chevalier ! On entassa des couvertures et des oreillers dans des malles, des coffres furent remplis, des chevaux furent chargés, bref un convoi de charrettes permit de transporter des tentes de toutes formes. Même un clerc de grande culture n'aurait pu écrire toute la liste des provisions et des bagages emportés pour la cour d'Arthur[1]. Tous ses

1. Pour situer cette remarque du romancier, il faut se souvenir que dans la société du Moyen Âge, les clercs, qui avaient fait de longues études, étaient seuls capables d'écrire et de lire, de copier et de composer des textes.

vassaux le suivirent, tous les grands seigneurs et les jeunes filles de la suite de la reine se préparèrent à leur tour. C'était une grande aventure, de partir ainsi à la recherche du chevalier qui apportait tant de bienfaits à la cour du roi Arthur !

Le soir on établit le campement à la lisière d'un bois. Le printemps était frais encore, et au matin une mince couche de neige recouvrait le sol. Toujours à la recherche d'aventures et de prouesses, Perceval s'était levé de bon matin : il arriva sur la prairie tout enneigée, près du campement du roi. En cet instant s'envolait une troupe d'oies sauvages. Éblouies par la splendeur de la neige, elles fuyaient affolées devant un faucon qui voulait attraper une proie. L'une d'elles fut plus lente à fuir : il la frappa cruellement d'un coup de bec, puis il s'enfuit. Perceval était accouru vers l'oie blessée au cou. Elle saignait, et trois gouttes de sang s'étaient répandues sur la blancheur de la neige. L'oiseau cependant put reprendre son vol. Quand Perceval vit la neige et le sang répandu, il resta immmobile, appuyé sur sa lance, songeur devant cette étrange scène qui lui rappelait les belles couleurs de Blanchefleur, sa femme qu'il aimait. La couleur rosée de ses joues, son teint très pur étaient évoqués par les trois gouttes de sang sur la blancheur de la neige. Ainsi Perceval contemplait sans se souvenir que le temps passait. De loin, du côté des tentes, on vit le rêveur immobile. Le roi dormait encore, et les écuyers rencontrèrent Sagremor qui était bien connu pour son humeur vive[1] :

— Nous avons vu, non loin d'ici, un chevalier qui sommeille sur son cheval !

— Est-il armé ?

— Oui, répondirent-ils.

— Je vais donc lui parler et l'amener à la cour !

Sagremor apprit la nouvelle au roi : sur la lande, il y aurait un chevalier étrange sommeillant sur son cheval !

Le roi ordonna qu'on le lui amenât sans faute. Sagremor sauta sur son cheval, et, armé de la tête aux pieds, alla rejoindre le chevalier :

— Seigneur, il faut venir à la cour ! lui dit-il, mais Perceval n'entendit rien et ne bougea pas. Sagremor répéta sa demande et puis se fâcha. Il défia Perceval et se lança sur lui pour l'attaquer. Perceval, alors, quitta sa belle pensée d'amour et affronta Sagremor dont la lance fut rompue. Celle de Perceval abattit Sagremor dont le cheval s'enfuit vers les tentes. Keu ne put se retenir :

— Voyez en quelle posture revient Sagremor ! Il amène le chevalier malgré lui !

1. Parmi les chevaliers de la Table ronde, Sagremor se distingue souvent par son impétuosité.

— Keu, répondit le roi, le sarcasme n'est pas bienvenu. Allez-y donc vous-même, et nous verrons comment vous allez vous en tirer !

— C'est une joie et un honneur pour moi, répondit Keu à la langue de fiel. Je vais vous l'amener, qu'il le veuille ou non, et il faudra bien qu'il nous dise son nom !

Il se fit apporter ses armes et piqua des éperons pour s'élancer à vive allure vers le jeune homme qui était à nouveau si absorbé par les gouttes de sang qu'il avait oublié le reste du monde :

— Chevalier, cria Keu, venez vers le roi, de bon ou de mauvais gré !

Perceval entendit la menace, tourna son cheval et donna des éperons avec tant de vivacité que la lance de Keu, au cours de l'assaut, vola en miettes. Perceval frappa le haut du bouclier et abattit Keu sur une roche, si bien que la clavicule fut déboîtée et que l'os du bras droit se brisa comme un bout de bois sec. Le cheval de Keu s'enfuit vers les tentes.

À la vue du cheval sans son maître, on se douta, parmi les gens du roi, que Keu avait été mis à mal. On trouva Keu étendu sans connaissance, on le crut mort. Tous furent plongés dans l'affliction. Perceval, quant à lui, s'était à nouveau appuyé sur sa lance et était tout absorbé par le beau spectacle des gouttes de sang sur la neige.

Le roi Arthur fit venir son meilleur médecin et trois jeunes filles qui avaient appris l'art de soigner : tous s'efforcèrent de soigner le bras disloqué de Keu. Il faudrait de la patience pour guérir !

Monseigneur Gauvain dit alors au roi :

— Seigneur roi, il n'est pas juste – et vous-même l'avez toujours proclamé – qu'un chevalier se permette, comme l'ont fait Sagremor et Keu, d'arracher un autre chevalier à ses pensées. Peut-être cet homme songeait-il à la perte d'un être cher, peut-être a-t-il perdu son amie, et il ne s'occupait que de son chagrin. Laissez-moi aller vers lui, et si je le trouve sorti de sa contemplation, je l'amènerai vers vous.

À ces mots, Keu éclata de rage :

— Ah ! monseigneur Gauvain, votre art de la persuasion est bien connu ! Lorsque de vaillants chevaliers ont tenté la chose, voici que l'homme sage se propose ! Vos belles paroles, Gauvain, seront du meilleur effet. Ce sont des batailles de femmes que ces propos courtois ! Vous allez le flatter et vous tirerez toute la gloire d'un fier combat !

— Monseigneur Keu, modérez-vous, je vous prie. Je vais ramener le chevalier, s'il est en mon pouvoir, et je n'y gagnerai pas de bras cassé !

— Cher neveu, dit Arthur, vous parlez comme toujours en courtois chevalier. Emportez malgré tout vos armes car il ne faut être à la merci de personne.

Gauvain était généreux, il se fit armer et se dirigea sur son cheval vers le chevalier qui ne se fatiguait pas de son rêve. Le soleil par la douceur de ses rayons avait fait fondre deux des gouttes de sang qui disparaissaient dans la neige, la troisième goutte pâlissait déjà, et le chevalier revenait lentement à lui. Alors Gauvain s'approcha paisiblement et le salua :

— Seigneur, je vous apporte un message de la part du roi qui souhaite vous parler.

— Il en est déjà venu deux, dit Perceval, qui ont voulu me dérober ma joie et m'emmener comme si j'avais été leur prisonnier. Or ces trois gouttes de sang vermeil étaient splendides sur la neige blanche, et je croyais voir les couleurs de la femme que j'aime !

— Ce sont des pensées d'un cœur noble, répondit Gauvain. Et il était bien importun de vouloir vous les arracher. Voulez-vous maintenant venir avec moi vers le roi ?

— Où se trouve Keu, le sénéchal ? Est-il là ?

— Assurément, et c'est Keu qui vient de vous attaquer. Mais vous lui avez brisé le bras et déboîté la clavicule !

— Elle est donc vengée, la jeune fille que Keu avait frappée !

À ces mots Gauvain tressaillit de surprise :

— Ah ! seigneur, c'est vous que le roi cherche ! Quel est votre nom ?

— Perceval, et le vôtre ?

— Seigneur, on m'appelle Gauvain.

— Gauvain ?

— Oui, noble seigneur !

Alors Perceval plein de joie s'écria :

— Seigneur, j'ai entendu parler de vous tant de fois, et tant de fois j'ai entendu célébrer votre gloire !

Ils coururent l'un vers l'autre et repartirent ensemble dans l'allégresse.

— Seigneur ! Seigneur roi, dirent les gens de la cour, monseigneur Gauvain revient avec le chevalier, et tous deux semblent manifester beaucoup de joie.

Keu était plein d'amertume et ne put freiner sa langue :

— Vous voyez bien, seigneur, comment Gauvain gagne les batailles, sans coup férir !

Son honneur est sauf, et une fois de plus on pourra dire qu'il a triomphé là où nous avons été vaincus !

Perceval fut amené vers la tente de Gauvain. Il y fut débarrassé de ses armes. Un chambellan tira d'un coffre une belle cotte et un somptueux mantel. Les deux chevaliers, se tenant par la main, se présentèrent devant le roi qui les attendait, assis devant sa tente :

— Seigneur, dit Gauvain à Arthur, voici l'homme que vous cherchez si ardemment depuis quinze jours. Vous étiez désolé de l'avoir laissé quitter votre cour. Je le remets entre vos mains !

— Mon cher neveu, je vous en remercie. Noble seigneur, dit-il à Perceval, dites-moi comment je dois vous nommer !

— Noble roi, je ne vous le cacherai pas. Je suis Perceval le Gallois.

— Ha ! Perceval, très cher ami, je ne veux plus que vous quittiez ma cour. Comme j'ai déploré de n'avoir pas deviné votre mérite et de n'avoir pas imaginé les hauts faits dont vous étiez capable ! Les prophéties de la jeune fille qui a retrouvé son rire ainsi que celles du fou qu'a frappé le sénéchal étaient donc vraies ! Vous vous en êtes montré digne par tous vos exploits !

La reine Guenièvre arrivait car elle venait d'apprendre la nouvelle, et à sa vue Perceval se dirigea vers elle avec déférence :

— Que Dieu donne la joie à la meilleure de toutes les dames de l'univers, à la plus belle, à la plus généreuse de toutes les souveraines !

— Soyez le bienvenu, dit la reine, car vous venez de montrer à tous votre grande valeur.

Alors Perceval s'inclina devant la demoiselle dont le rire avait annoncé ses hauts faits :

— Belle amie, mon aide ne vous manquera jamais.

9. Le repentir de Perceval

Le livre d'où je tire mon récit nous raconte que Perceval perdit la mémoire, au point qu'il oublia Dieu. Cinq ans passèrent, cinq ans entiers sans qu'il voulût passer le seuil d'une église. Mais il restait attaché à la quête des aventures ainsi qu'à la recherche des prouesses, et il donna toute la mesure de sa vaillance. Il réussit à vaincre une soixantaine, au moins, de chevaliers qui prirent le chemin de la cour d'Arthur, tout comme le firent ceux dont je vous ai parlé, l'Orgueilleux de la Lande et Clamadeu des Îles avec son sénéchal.

Qu'était-il donc arrivé au fils de la Dame Veuve ? Il avait parcouru maints pays sur son cheval et traversé en bateau plus d'une mer. Aucun adversaire face à lui n'était resté en selle. Au cours de nombreux et âpres combats il avait remporté la victoire. Une fois pourtant, au cours d'un affrontement, l'épée que le Roi Pêcheur lui avait donnée au château du Graal s'était brisée, mais elle fut ressoudée par la vertu étonnante d'une source. Un jour, notre héros arriva – je ne sais à quelle heure – dans une forêt. Il aperçut une cellule d'ermite. Plein de fougue et insatiable d'aventures, Perceval s'approcha et découvrit une recluse qui, pour l'amour de Dieu, avait renoncé à la joie terrestre. Elle cherchait la solitude.

Comme il n'y avait plus de sentier, Perceval dut passer sur des troncs d'arbres écroulés. Il s'approcha avec son cheval de la fenêtre et voulut demander quelle était cette forêt.

— Y a-t-il quelqu'un à l'intérieur ? demanda-t-il.

Une voix répondit : c'était une voix de femme. Il mit pied à terre et attacha son cheval à l'une des branches d'un arbre abattu. Il y suspendit également son bouclier. La femme portait une robe grise et, à même la peau, une chemise de crin. Elle s'adressa à Perceval avec bienveillance et lui souhaita la bienvenue. Elle tenait dans sa main un psautier[1], et elle

1. Recueil de psaumes tirés de l'Écriture sainte, un psautier est un manuscrit souvent magnifiquement illustré, pour

portait, ce qui étonna fort Perceval, un anneau orné d'une pierre, un grenat qui brillait dans l'obscurité comme une étincelle.

— Pourquoi vivez-vous si loin de tout, dans ce lieu sauvage ? Et de quoi vivez-vous ?

Elle lui révéla une chose surprenante :

— C'est du Graal que je reçois régulièrement ma nourriture. Je n'ai pas à m'en préoccuper, je ne manque de rien. Quant à l'anneau que je porte, un homme que j'aimais me l'a jadis donné. Mais il a péri durant un combat, et je consacre ma vie à l'aimer dans l'affliction. C'est pour moi qu'il a conquis la gloire, le bouclier et la lance à la main, et c'est pour me servir qu'il a trouvé la mort. Je le considère comme un époux qui m'a été arraché, et cet anneau m'accompagnera jusqu'à ma propre mort !

Profondément touché par son chagrin, Perceval se fit reconnaître : il enleva sa coiffe de mailles de sa tête, et la dame sembla le reconnaître :

— Où en êtes-vous de la quête du Graal ? s'écria-t-elle.

Il répondit avec accablement :

— La joie n'appartient plus à ma vie. Le Graal est pour moi un souci de tout instant. J'ai quitté

les riches familles notamment. Rappelez-vous ce que lit dans la légende d'*Yvain ou le Chevalier au lion* la belle Laudine après la mort de son mari : elle tient un beau psautier aux lettres enluminées d'or.

un royaume dont je venais de recevoir la couronne, j'ai laissé la femme que j'aime. Je désire tant la revoir, mais encore plus ardent est mon désir d'atteindre le but suprême : le Graal et le château du Roi Pêcheur.

— Certes, dit la dame, je ne veux pas ajouter à ta tristesse, mais tu t'es toi-même privé de toute joie lorsque tu as omis de poser la question. Ainsi l'allégresse qui te portait s'est transformée en paralysie, et le souci ne quitte plus ton cœur.

— Je le sais, répondit Perceval, je suis seul responsable de mon malheur.

— Sais-tu, lui apprit la recluse, que le château du Graal, la demeure du Roi Pêcheur, ne se laisse pas approcher aisément ? Celui qui s'y hasarde doit affronter de dangereux combats et risquer la mort. Le lieu est entouré de gardiens vigilants, les chevaliers du Graal. C'est pourquoi, d'ailleurs, on l'appelle aussi Montsauvage. Je te recommande à Dieu, ajouta-t-elle, va ton chemin. Peut-être retrouveras-tu l'espoir !

Où devait-il maintenant tourner ses pas ? Puisque cinq ans déjà étaient passés, notre héros ne savait plus que chercher. Le Graal se dérobait toujours, Perceval affrontait toujours les fers acérés de ceux qui protégeaient le lieu mystérieux. Il ne connaissait plus la joie.

À ceux qui veulent bien m'écouter, je raconterai ce qui advint. Je ne compterai pas le nombre de semaines durant lesquelles Perceval chevaucha comme autrefois en quête d'aventures. Un matin il traversait une forêt profonde, et une mince couche de neige recouvrait le sol quand il aperçut un vieux chevalier qui venait à sa rencontre. Sa barbe était toute grise, mais son visage était lisse et frais. Son épouse, grisonnante elle aussi, avait le même teint frais. Ils revenaient d'un pèlerinage de confession[1], et ils portaient une robe grise taillée dans une étoffe rude et grossière. Leurs deux filles étaient pareillement vêtues, et en signe d'humilité, tous marchaient pieds nus dans la neige. Perceval salua le chevalier.

Or ce jour-là, Perceval s'était armé avec un soin tout particulier : son précieux harnois faisait de lui un magnifique chevalier. Quel contraste avec le vieil homme qui arrivait si pauvrement vêtu ! Perceval écarta son destrier du chemin et demanda ce qui avait incité ces gens à entreprendre ce voyage. Le chevalier grisonnant déplora que les jours saints n'eussent pas déterminé Perceval à chevaucher sans armes, ou à marcher pieds nus pour les célébrer. Perceval lui répondit :

1. Pour expier leurs péchés : en effet le récit va nous apprendre que le jour du Vendredi saint invite au repentir.

— Seigneur, j'ai oublié le temps. Je ne sais quand cette année a commencé, ni quel jour de la semaine nous sommes aujourd'hui. Jadis je servais Dieu, mais j'ai été accablé de malheurs et Il ne m'a jamais aidé !

Alors le vieil homme dit :

— Parlez-vous de ce Dieu à qui la Vierge a donné le jour ? Si vous croyez en son incarnation, aux souffrances qu'Il a acceptées pour nous, le jour que nous célébrons aujourd'hui, vous avez tort de porter vos armes. C'est aujourd'hui le jour du Vendredi saint, et tous les hommes doivent à la fois se réjouir de leur rédemption, mais en même temps trembler de crainte d'être damnés. Si vous avez reçu le baptême, seigneur, vous devriez célébrer ce jour comme il convient[1]. Tout près d'ici vit un saint ermite qui vous imposera la pénitence pour racheter votre faute. Ainsi serez-vous délivré de votre péché !

Perceval poursuivit sa chevauchée, mais la tristesse l'avait envahi. Il tourna alors ses pensées vers le Créateur du monde :

« Dieu ne m'aidera-t-il pas à surmonter ma douleur ? Ah ! si un chevalier mérite quelque récompense pour les véritables prouesses qu'il a accomplies, Dieu aurait certainement le pouvoir de m'aider ! »

1. Dans la société médiévale, il était interdit de porter les armes le Vendredi saint.

De loin il aperçut encore les pèlerins qui le regardaient. Il éperonna son cheval pour se rendre vers le lieu où vivait dans l'abstinence le pieux ermite dont les pèlerins lui avaient indiqué la direction. Il s'agissait, avaient-ils dit, de suivre les nœuds de branchages qu'ils avaient eux-mêmes suspendus pour retrouver leur chemin. L'ermite, lui avait-on appris, faisait chère maigre le lundi, et ne mangeait pas plus le reste de la semaine. Il avait renoncé au jus de mûres, au vin et même au pain. Il menait une vie fort dure, et le jeûne lui imposait de grandes privations. Mais, comme l'on sait, c'est une arme très sûre contre le diable. C'est par cet homme que Perceval apprendra les secrets du Graal. Car autrefois, quand il vivait encore dans le monde, cet homme avait appris à lire des caractères étrangers, en écriture arabe, pour pouvoir les découvrir. Un savant païen, apprit-il, avait découvert dans les astres de profonds mystères, et en particulier qu'il existait un objet mystérieux qui s'appelait le Graal : ce nom, il l'avait lu dans les étoiles. Le livre qu'avait déchiffré l'ermite avait été écrit par le savant arabe, et par la suite le manuscrit avait été abandonné à Tolède. Ce fut la première fois que l'on parla du Graal en ce monde. Quel peuple, s'était demandé celui qui vivait maintenant retiré dans un ermitage et qui savait tout sur le Graal, quel peuple était devenu le gardien du

Graal ? Pour le savoir, il avait dû parcourir de nombreuses chroniques de Bretagne, de France, d'Irlande et de bien d'autres pays. Ainsi il apprit qu'un de ses ancêtres avait confié à son fils Anfortas, le futur Roi Pêcheur, le Graal merveilleux. Or ce fils avait pour sœur la Dame Veuve, mère de Perceval.

Arrivé à l'ermitage, le chevalier mit pied à terre, enleva ses armes, et attacha son cheval à un arbre. Il trouva l'ermite dans sa chapelle, prêt à célébrer la messe. Perceval tomba à genoux, et le saint vit sa tristesse. Le jeune homme s'inclina devant lui et lui demanda, les mains jointes, de le conseiller, car il en avait grand besoin. Le saint homme lui dit de se confesser et ajouta :

— Hélas ! Seigneur, comment pouvez-vous être vêtu ainsi en ce saint jour ? Est-ce un dangereux combat qui vous a obligé à revêtir votre armure ? Si vous n'avez pas eu à vous mesurer à un adversaire, un autre vêtement vous irait mieux ! À moins que l'orgueil ne vous guide ! C'est aujourd'hui, rappelez-vous, que fut crucifié Celui qui fut vendu par Judas au prix de trente deniers ! Il a pris chair pour nous sauver. Venez donc près de moi, descendez de votre cheval, et venez vous réchauffer auprès de ce feu. Même si la soif d'aventure vous conduit, même si vous recherchez la récompense que procure l'amour d'une femme, aujourd'hui en ce saint jour, aimez selon l'amour de Dieu ! Vous pourrez toujours, plus tard, servir à nouveau les dames.

Perceval raconta à l'ermite comment des pèlerins lui avaient indiqué le chemin vers l'ermitage, un homme grisonnant accompagné de son épouse et de ses filles. Il lui dit avec un profond accablement :

— J'ai gravement péché, j'ai besoin de votre secours. Pendant cinq ans j'ai oublié Dieu, je n'ai fait que le mal. Je crois avoir perdu la raison !

Et il ajouta :

— N'avez-vous éprouvé aucune crainte en me voyant arriver chez vous ?

L'ermite répondit :

— Noble ami, vous êtes un pécheur parmi bien d'autres ! Et croyez-moi, les cerfs de la forêt et les ours sauvages m'ont souvent causé plus d'effroi que vous ! Je n'ai jamais été lâche. Quand je portais les armes, autrefois, j'étais un chevalier comme vous, et mon souci était de conquérir l'amour des dames, car je voulais mener une vie glorieuse pour gagner leurs faveurs. Maintenant j'ai oublié tout cela. Venez ! Votre cheval se reposera, et nous irons cueillir pour lui des pousses vertes et de la fougère. C'est tout ce que je pourrai lui offrir, mais la forêt est généreuse !

Le cheval fut amené vers un lieu qu'abritait un rocher et que traversait une source jaillie du roc. Perceval fut conduit dans une grotte bien protégée du vent. Quand il se fut réchauffé, ses belles couleurs lui revinrent. Il n'était guère étonnant qu'il fût épuisé de sa chevauchée à travers la forêt ; il s'était écarté la plupart du temps loin de tout chemin, et il avait passé bien des nuits à la belle étoile. Dans une seconde grotte dont il avait fait sa chapelle, l'ermite lui montra des livres et une pierre d'autel, et sur l'autel un reliquaire.

— Seigneur, dit Perceval, ce lieu est sacré. Et je me souviens d'un jour où j'étais perdu dans mes pensées et où j'avais perdu toute conscience, tant j'étais ébloui par trois gouttes de sang sur la neige. Et en vous parlant de ce temps heureux, je me sens encore bien plus accablé ! C'est aujourd'hui que je vois clairement combien de temps j'ai erré, privé de joie. La joie n'est plus pour moi qu'un rêve, et je suis accablé de chagrin. Je hais Dieu du fond du cœur, car Il est la cause de mon tourment.

— Mais comment vous est venue cette colère qui vous dresse contre Dieu ? Je vous en supplie, soyez Lui fidèle et ne cédez jamais au désespoir ! Dieu est la vérité, Il a pris pour nous forme humaine. Celui qui fait pénitence mérite la grâce de Dieu qui connaît le fond des cœurs. Or le fond des cœurs se défend des rayons du soleil : il demeure fermé, même sans serrure ni verrou, il est fait d'obscurité. Mais Dieu, qui est la lumière, perce de son éclat la paroi des ténèbres. Comme un éclair la lumière pénètre dans le cœur.

— Je suis heureux de vous entendre, répondit Perceval. Voici quels sont mes tourments et pourquoi j'ai passé tant de jours dans le souci et l'angoisse. Mon vœu le plus ardent est de retrouver le Graal, puis de revoir ma femme, la reine Blanchefleur. C'est vers le Graal et vers elle que me porte mon désir.

— Que vous vouliez revoir votre femme, dit l'ermite, est bien compréhensible. Mais si votre désir vous porte vers le Graal, que puis-je vous dire, sinon parler de votre naïveté ! Seul peut connaître le Graal celui que le Ciel admet.

Perceval ne lui dit pas ce qu'il avait vu au château mystérieux, mais le pria de lui dire tout ce qu'il savait lui-même du Graal, car l'ermite disait le connaître :

— Je sais, lui dit-il, que de vaillants chevaliers ont pris pour demeure le château du Roi Pêcheur, dont le vrai nom est Montsauvage. Ils partent souvent en quête d'aventures. Ils veulent expier leurs péchés, et leur nourriture, ils la reçoivent d'un plat creux, le Graal, qui est d'une nature merveilleuse. Il n'est aucun homme, si malade fût-il, qui ne guérisse à sa vue. Échappant à la vieillesse, tout homme peut garder l'apparence qu'il avait au moment où il a vu le Graal pour la première fois. Seule deviendra grise sa chevelure, et le corps gardera la fraîcheur de la jeunesse. Le jour du Vendredi saint une colombe descend du ciel et dépose une petite hostie blanche sur le Graal, puis elle s'envole vers le ciel. Ainsi dépose-t-elle ce qui dispense les meilleurs breuvages et les meilleurs des mets, ce que la terre produit de plus savoureux. Voici ce dont jouit cette communauté de chevaliers.

— Et comment reconnaît-on ceux qui sont appelés auprès du Graal ?

— Une inscription mystérieuse sur le bord du Graal révèle le nom des jeunes gens et jeunes filles destinés à l'approcher. Heureuse la mère qui met au monde un enfant destiné au Graal ! Car tous sont assurés de trouver au Ciel le bonheur suprême.

— Si la prouesse accomplie avec le bouclier et la lance permet d'acquérir la gloire en ce monde et le bonheur du Ciel, s'écria Perceval, j'ai toujours désiré la vie d'un chevalier et j'ai combattu partout où le combat devait être mené. Dieu devrait m'appeler auprès du Graal !

Mais son hôte lui dit :

— Il faudrait surtout témoigner d'humilité et éviter l'orgueil. Autrefois, il y avait un roi nommé Anfortas dont la jeunesse et le désir d'amour excessif furent la cause de tourments, en même temps que furent frappés tous ceux qui l'entouraient. Or les chevaliers ne doivent jamais oublier l'humilité, et le Graal doit être préservé de tout excès. Les mystères du Graal doivent rester cachés : seuls peuvent les connaître ceux qui ont été appelés à rejoindre la communauté du Graal. Jusqu'ici un seul homme y est parvenu : c'était un ignorant et un naïf, et il est reparti chargé d'un lourd péché, car il n'a pas demandé à son hôte quelle était sa souffrance ni à qui l'on destinait le service du Graal. Mais je vous vois pâlir, seigneur : dites-moi donc quel est votre lignage !

Et Perceval regarda droit dans les yeux le saint ermite :

— Je suis le fils d'un homme qui a trouvé la mort dans un combat singulier. Mon père s'appelait Gahmurot.

— Alors ta mère est ma sœur, elle est morte de la douleur de te voir partir !

— Ah ! mon doux seigneur, s'écria Perceval. Ma cousine m'a déjà maudit en m'apprenant cette nouvelle. Même si j'étais le roi du Graal, je ne pourrais me consoler de ce malheur ! Si je suis votre neveu, dites-moi la vérité !

— C'est l'amour qu'elle avait pour toi qui a fait mourir ta mère. Son frère est Anfortas qui fut et est encore, par sa naissance, le roi du Graal, mais il vit un sort pitoyable. Mon père avait perdu la vie au combat : on choisit alors comme roi et comme protecteur du Graal son fils aîné Anfortas.

Mais il s'était épris d'une femme que ne lui avait pas désignée l'inscription sur le Graal, une amie pour laquelle il transperça plus d'un bouclier. Son cri de guerre était : « Amour ! » Or un jour, il partit à la chasse, en quête d'aventure, et dans un combat singulier il fut blessé entre les cuisses par une lance empoisonnée. Il fut blessé par un païen qui voulait conquérir le Graal et qui avait traversé terres et mers en quête d'exploits chevaleresques. Ton oncle en fut vainqueur, mais le fer de la lance resta plongé dans son corps. Quelles lamentations se firent entendre ce jour-là ! On sortit le fer de lance. Et moi, je suppliai Dieu de délivrer mon frère de sa détresse, et je lui promis de renoncer à tout jamais au vin et à la viande. Qui devait alors protéger les mystères du Graal ? La blessure du roi empirait, on recourait aux livres de médecine, mais en vain. Toutes les herbes qu'utilisent les médecins contre les serpents venimeux ne furent d'aucun secours. Même l'eau cherchée dans le Tigre et l'Euphrate, qui se situent tout près du Paradis, ne fut d'aucun secours. Nous sommes allés chercher un pélican : lorsque ses petits sortent de l'œuf, pour les nourrir il s'ouvre la poitrine à coups de bec et les abreuve de son sang. Nous nous sommes procuré le sang de cet oiseau et en avons oint la blessure, mais en vain. Il est un autre animal prodigieux, la licorne dont le cœur et l'escarboucle qui pousse sur le front, sous la corne, font des merveilles. Ni le cœur, ni la pierre n'ont servi à rien. Même l'herbe qui naît du sang d'un dragon qu'on vient de tuer fut sans effet. Alors, plongés dans le désespoir, nous nous sommes agenouillés devant le Graal. Soudain, sur le bord de l'objet merveilleux, on put lire cette inscription annonçant qu'un jour un chevalier viendrait : s'il posait une seule question, notre détresse prendrait fin. Mais personne, aucun être au monde ne devait lui annoncer d'avance l'importance de la question, sinon elle serait sans effet. Avertir ne pouvait que nuire. Si l'occasion était manquée, il ne servirait à rien de poser la question plus tard ! S'il posait la question au bon moment, c'est lui qui gouvernerait le royaume du Graal. Plus tard, en effet, un jeune chevalier est venu au château, et bien qu'il vît les souffrances de son hôte, il ne lui vint pas à l'esprit de demander : « Seigneur, de quoi souffrez-vous ? »

Perceval, en l'entendant, fut plus affligé que jamais. Ils sortirent chercher de la nourriture. L'ermite déterrait des racines, ils allèrent à la source claire pour laver racines et herbes. Il n'y avait là rien d'autre.

— Pourquoi portes-tu sur ta selle les armoiries du roi Anfortas ? demanda l'ermite.

— Mon cher oncle, répondit le jeune homme, je vais faire appel à votre générosité. J'ai commis une grande faute, et si vous me punissez, je serai perdu sans espoir. Le chevalier qui est allé à Montsauvage, qui a vu la grande détresse du roi et qui pourtant n'a pas osé poser la question, c'est moi !

— Quel malheur ! s'écria le saint homme. Il faut donc que je t'aide au nom de Dieu. Le roi Anfortas, mon frère, ne peut ni chevaucher, ni demeurer couché, ni se tenir debout. Quand change la lune, il souffre particulièrement. Il se rend alors vers une rivière pour que la brise embaumée allège sa douleur. C'est pourquoi on l'appelle souvent le Roi Pêcheur, mais il n'a jamais péché.

— J'ai rencontré le roi sur la rivière en effet : sa barque était à l'ancre, et j'ai cru qu'il prenait du poisson. Et j'ai vu les jeunes filles qui prenaient soin du Graal.

— C'est un service qui exige une parfaite pureté, poursuivit l'ermite. Et je t'apprendrai autre chose encore : les chevaliers du Graal accueillent au château des enfants de noble sang. Et si dans le monde un royaume se trouve sans maître, si le peuple du royaume, dont le désir est guidé par Dieu, désire un souverain choisi dans la communauté des chevaliers du Graal, son vœu peut être exaucé. Mais revenons à toi : tu as causé la mort de ta mère, et tu es coupable de ton silence au château du Graal. Songe maintenant au repos de ton âme.

— Qui est la jeune fille qui portait le Graal ?

— C'est ta tante, la sœur de ta mère. Elle se nomme Pensée-de-Joie. Elle espérait que tu deviendrais le roi du Graal. Et ton oncle t'a donné une épée, mais tu as péché par ta bouche, alors que tu es souvent si bavard, et tu n'as pas posé la question que l'on attendait ! Le péché a tranché ta langue et t'a contraint au silence !

Perceval passa quinze jours auprès de son oncle. Il ne se nourrissait que d'herbes et de racines. Ainsi faisait-il pénitence. Mais un jour, il demanda :

— Comment le roi mutilé reste-t-il en vie ? Et qui est l'homme qui reposait dans la chambre où se rendaient les deux jeunes filles ?

— C'est le grand-père du riche Roi Pêcheur. Ne crois pas qu'il ait sur sa table brochets, lamproies ou saumons : c'est l'hostie qu'on lui porte dans le Graal qui le garde en vie. Il y a quinze ans qu'il n'est sorti de la chambre où tu as vu entrer le Graal. Il est atteint d'une paralysie que l'on ne peut guérir, mais il garde un beau teint frais, car il ne cesse de regarder le Graal, et c'est ce qui le garde en vie. Va, cher neveu, maintenant, n'oublie pas de servir les femmes et les hommes de Dieu. Je vais désormais me porter garant de ton repentir. Ne t'adonne pas au désespoir !

L'ermite lui dit encore tout bas à l'oreille une prière dont Perceval répéta chaque mot. Et les noms de Dieu y étaient inclus, des mots si sacrés que nul homme ne doit les prononcer. L'ermite lui dit de ne prononcer cette prière qu'en cas du plus grand péril. Perceval assista au service divin, son cœur était inondé de joie, il pleurait ses péchés. Il apprit à se recueillir. C'est ainsi que Perceval se souvint que Dieu avait souffert la mort le vendredi, et qu'Il avait été crucifié.

10. Perceval et le chevalier d'Outre-Mer

Perceval poursuivait sa quête, tout en retournant auprès du roi Arthur quand il apprenait qu'il avait besoin de lui. Mais il ne cessait de songer à sa belle épouse. Avait-t-il jamais eu le désir de lui être infidèle ? Assurément non. Il était si loyal et fidèle qu'aucune autre femme n'aurait pu gagner son amour. Et il pensait :

— Comme l'amour m'a fait souffrir depuis que j'ai appris à aimer ! Comment ai-je pu vivre si longtemps sans amour ? Je lutte pour trouver le Graal, mais je suis tourmenté par le désir des bras de ma femme, que j'ai quittée il y a si longtemps ! Il est dur de contempler le bonheur des autres et d'être soi-même livré à la solitude ! Dieu ne veut pas que je sois heureux. Notre amour, le mien et celui de la reine Blanchefleur vers laquelle va tout mon désir, ne peut être troublé, et je reste prisonnier de ma détresse. Que Dieu donne la joie à tous ceux qui sont rassemblés ici, et quant à moi, je dois quitter ces nobles compagnons !

Il s'arma à la hâte, en quête de nouveaux dangers. Il mit la selle à son cheval de sa propre main, prit son bouclier et sa lance. Le lendemain, la cour d'Arthur déplora fort son départ. En effet il était parti avant l'aube.

Vous allez enfin entendre la fin du récit, vous pourrez apprendre comment le noble Anfortas fut guéri de ses maux, comment le royaume du Roi Pêcheur fut délivré de la malédiction qui l'accablait et comment la reine de Beaurepaire retrouva le plus grand des bonheurs.

Les combats que Perceval avait menés jusque-là n'étaient rien au regard de ceux qui l'attendaient. Jamais il ne fit preuve de lâcheté. Et il dut affronter un singulier chevalier venu de terre païenne.

Perceval chevauchait à bonne allure en direction d'une profonde forêt, quand il vit s'approcher un magnifique chevalier. Comment décrire la richesse de son armure ? Toute la richesse d'Angleterre et de Bretagne, tout le prix de ce qui se voyait à la cour d'Arthur, n'était rien face aux pierres précieuses qui ornaient sa cotte d'armes.

Visiblement l'étranger cherchait à conquérir la gloire : les pierres précieuses lui avaient été données par les dames qu'il avait aimées. Son destrier portait une housse de soie. Son armure était splendide. Le seigneur oriental était arrivé par la mer, et son navire avait jeté l'ancre dans un port non loin de là. C'était un puissant seigneur dans son pays, et son armée était faite de combattants venus de très lointaines contrées. Dans la forêt, il chevauchait seul, à l'aventure.

Ainsi le chevalier païen et le chevalier chrétien chevauchaient solitaires. Perceval allait le cœur exalté et plein de vaillance. La force du Graal pourra-t-elle le sauver ? Il n'avait pas réussi à délivrer le roi de sa profonde blessure, il avait commis le péché du silence, à cause du péché commis lorsqu'il avait quitté le manoir de la Forêt Déserte et n'avait pas voulu relever sa mère gisant à terre.

Or vous allez découvrir que celui qui s'approchait n'était pas aussi étranger qu'il le paraissait. Chacun des deux seigneurs savait exposer sa vie pour l'amour d'une femme. Ils savaient, en effet, se battre. Ils s'affrontèrent, et à chaque assaut, ils reprenaient place sur leur selle, puis piquaient des éperons et repartaient dans un bel élan. Le païen était stupéfait de voir que son ennemi se maintenait en selle. Quand leurs chevaux furent épuisés, ils tirèrent l'épée. Ils étaient descendus de leurs montures. Le païen poussait son cri de guerre, aux sonorités bien étranges pour les oreilles de Perceval.

Or ils étaient du même sang, tous deux fils d'un même père, qui avait été lui-même l'exemple de toute vaillance. Le païen combattait pour l'amour de la reine des montagnes du Caucase : cet amour était pour lui comme un bouclier qui le préservait de tout danger, et son ardeur redoublait au combat. Le chevalier chrétien, quant à lui, combattait en pensant ardemment au Graal et à la reine Blanchefleur.

Le bouclier du chevalier païen était d'une fibre très résistante d'un arbre d'Orient. La partie renflée du bouclier était ornée de turquoises, d'émeraudes, de rubis, de pierres éclatantes. La reine du Caucase lui avait donné un anneau qui devait le protéger comme un talisman.

Tous deux étaient d'égale vaillance. Perceval s'en remettait totalement à Dieu depuis qu'il avait quitté l'ermite. Chaque cri de combat que poussait le païen l'animait d'une ardeur étonnante contre un adversaire qui n'avait jamais connu pareil assaut. Des étincelles claquaient des heaumes, leurs épées frappaient comme le vent. Dieu sauve le fils de Gahmurot ! En prononçant ce souhait, je vous révèle déjà qu'ils ne faisaient qu'un ! Le païen était poussé par l'amour et aidé par les pierres précieuses qui lui procuraient une force indomptable.

« Perceval, pense à ta femme au teint lumineux, et pour elle, veille à ta vie ! Et si la pensée de ta femme et du Graal ne peut t'aider, au moins songe à tes deux fils, Cardiz et Lohengrin, afin que, privés de père, ils ne deviennent orphelins. Car tu ne le sais pas encore : ton épouse les a conçus la dernière fois que tu l'as prise dans tes bras. Ces enfants nés de l'amour d'un homme et d'une femme sont le plus grand des bonheurs ! »

Perceval alors pensa à la reine dont il avait gagné l'amour, l'épée à la main, dans le combat terrible qu'il avait livré devant le château de Beaurepaire. Il se mit à pousser son cri de guerre « Beaurepaire ». Alors l'amour de la reine, par-delà quatre grands royaumes, fit jaillir des éclats de feu du heaume de son adversaire. Perceval lui dit :

— Arrête-toi, valeureux étranger ! Faisons une trêve. Nous reprendrons quand nous serons un peu reposés !

Ils s'assirent sur l'herbe. Ils étaient beaux et vaillants, et tous deux avaient l'âge où les combats se livrent pour le plus grand émerveillement.

Le païen dit :

— Je n'ai jamais vu de chevalier plus vaillant que toi. Dites-moi donc votre nom et votre lignage : au moins n'aurai-je pas entrepris ce long voyage en vain.

— Je ne vous répondrai pas pressé par la crainte ni par la contrainte ! dit le fils de la Dame Veuve.

Le païen des terres lointaines répondit :

— Je me nommerai donc d'abord. Je suis Feirefiz l'Angevin, et je suis un puissant seigneur d'outre-mer.

À ces mots, Perceval lui dit :

— Mais d'où tirez-vous ce surnom : l'Angevin ? C'est moi qui suis l'héritier d'Anjou, de ses châteaux et de ses terres. Je vous en prie, choisissez un autre nom. C'est moi qui suis angevin par ma naissance. Pourtant on m'a dit qu'il y a, dans les terres lointaines d'outremer, un héros indomptable qui cherche l'amour et la gloire, et l'on dit même qu'il est mon frère. Laissez-moi voir votre visage, et ôtez votre heaume. Soyez rassuré : mon bras ne se lèvera pas sur vous tant que vous ne l'aurez pas remis.

Le chevalier païen dit alors :

— Je ne redoute pas ta traîtrise. J'ai une épée, alors que la tienne vient d'être brisée, mais cette épée ne servira ni à l'un, ni à l'autre. Nous allons nous battre à chances égales, et il ajouta :

— Tu me dis que tu as un frère ! Peux-tu me le décrire ? T'a-t-on parlé de sa couleur ?

— Il est, m'a-t-on dit, comme un parchemin couvert de signes, blanc comme le parchemin, et noir comme l'encre.

— Ah ! c'est moi ! s'écria le païen.

Chacun enleva alors son heaume et sa coiffe. Le païen portait bien sur son corps même les couleurs de la pie : c'est pourquoi son nom Feirefiz venait du mot « vair », ce qui signifie varié et changeant.

Ainsi l'amour des frères mit fin au combat. Ils tombèrent dans les bras l'un de l'autre. Le puissant Feirefiz pria Perceval de ne plus le vouvoyer, au nom de la loyauté fraternelle, mais Perceval refusa, car son frère était plus âgé que lui. Il était né en effet avant que Gahmurot n'épousât celle qui devait devenir la Dame Veuve. Ils se témoignèrent mutuellement de grandes marques d'honneur.

— Ma mère, révéla Feirefiz, est morte de douleur lorsque notre père l'a abandonnée pour revenir sur ses terres. Mais je voudrais le connaître, et c'est pour le retrouver que j'ai entrepris ce très long voyage.

Perceval lui dit :

— Moi non plus, je ne l'ai pas connu. On m'a souvent parlé de ses prouesses, de sa gloire, de son renom. Il servait les femmes, il était loyal et constant. Il est mort, m'a raconté ma mère, au cours d'un âpre combat !

— Quelle terrible nouvelle ! s'écria le frère de Perceval. La douleur s'associe maintenant à la joie. Mon père, toi et moi ne faisions qu'un être, en trois personnes. Entre les enfants et le père, il y a un fil que rien ne peut rompre !

Il versait des larmes, et dit à Perceval :

— Viens avec moi, je vais retrouver mon armée et vais te montrer les plus nobles chevaliers de mon pays. Les navires attendent dans le port. Les destriers et les hommes ne doivent pas les quitter, sinon pour puiser l'eau des sources ou respirer l'air de la plaine.

Perceval lui dit :

— Vous devriez venir à la cour du roi Arthur, la plus belle cour du monde où se trouvent tant de chevaliers de noble lignage.

— Je sais, répliqua l'autre, que c'est un roi d'un grand renom.

Chez le roi Arthur, on s'était beaucoup lamenté du départ de Perceval. Et le roi avait décidé de ne pas lever le camp et d'attendre son chevalier pendant huit jours. On annonça que de loin on avait vu se dérouler un combat étonnant. Gauvain transmit la nouvelle. Qui avait pu livrer ce combat ? Arthur le devina bien vite, et d'ailleurs les deux chevaliers arrivaient.

11. Les deux frères à la cour d'Arthur

❧

Imaginez la plaine couverte de tentes ! Les deux chevaliers allèrent vers celle de Gauvain, qui les accueillit avec les marques de la plus grande joie. On découvrit la splendeur des vêtements du seigneur païen, sa cotte d'armes incrustée de pierres précieuses, mais on s'étonna surtout des marques colorées de l'étranger. Gauvain dit à Perceval :

— Présente-moi celui qui t'accompagne ! Il est si étrange que je suis frappé de stupeur !

— C'est un roi des terres d'outre-mer. Mon père conquit les armes à la main une reine d'Orient, et elle conçut de lui ce chevalier, le puissant Feirefiz dont la peau est sur tout le corps à la fois noire et blanche, sauf la bouche qui est à moitié rouge. Il est de sang chrétien et de sang sarrasin.

On leur apporta des vêtements de grand prix. Et Gauvain interrogea Perceval :

— Ton heaume et ton bouclier me font deviner que vous vous êtes battus, ton frère et toi. Mais contre qui ?

— Quel âpre combat ! répondit Perceval. J'ai assené des coups à cet étranger dont j'ignorais qu'il était mon frère. Mon épée s'est brisée contre lui, mais il a jeté loin de lui la sienne. C'est alors que nous avons découvert quel était notre lien de parenté. Nous sommes maintenant liés par l'amour le plus vif !

Ce soir-là la fête fut somptueuse : on couvrit le sol de couvertures de soie épaisse et de riches étoffes. Des coussins moelleux furent disposés. Arthur fut prévenu, il apprit la nouvelle avec joie. Feirefiz et Perceval avaient pris place au milieu des dames. Des mets exquis furent offerts. Le puissant seigneur d'outre-mer dit à son frère Perceval :

— Notre Dieu m'a fait partir pour un voyage très heureux. Je puis maintenant imaginer le père que j'ai perdu, il est bien issu d'un glorieux lignage !

Et Perceval le Gallois répondit :

— Parmi ceux qui entourent Arthur, vous verrez des chevaliers de très noble origine. Leur gloire est célébrée partout. Vous allez apprendre ce qu'est la Table ronde.

Arthur arrivait avec les siens ; il se dirigea vers le cercle des tentes de Gauvain, accompagné de la reine Guenièvre, qui donna à Feirefiz le baiser de bienvenue. Chevaliers et grands seigneurs, dames et belles demoiselles prirent place. Arthur vint s'asseoir aux côtés de Feirefiz. Ils se parlèrent avec infiniment de courtoisie :

— Béni soit Dieu de nous accorder la joie de te connaître ! dit Arthur. Je comblerai chacun de tes vœux.

Et Feirefiz répondit :

— Tu te montres bien tel qu'on te décrit dans les terres lointaines d'où je viens. Sache que ton nom est connu au loin !

— Je m'appelle Arthur, en effet, et j'aimerais savoir maintenant comment tu es arrivé dans ce pays. Si c'est l'amour d'une dame qui t'y a poussé, je souhaite qu'elle t'accorde la plus grande des récompenses.

— Écoute pourquoi je suis venu : je suis à la tête d'une armée très puissante, et on me l'envierait au fil des siècles. Par mes prouesses j'ai gagné l'amour de la reine du Caucase, c'est elle qui guide mon existence désormais. Elle m'a appris la générosité, et grâce à elle, je me suis entouré de très vaillants compagnons.

Arthur répondit :

— C'est de ton père que tu as hérité de cette nature qui te pousse à servir une dame. Mais regarde à côté de moi cette reine pour laquelle des forêts entières ont été abattues afin de fournir le bois des lances pour les combats dont elle fut la cause ! Quant à Perceval, il poursuit un but exaltant : il est à la recherche du Graal. Mais parle-moi de toi : qui as-tu rencontré et quels pays as-tu parcourus ?

— Tu vois à mes côtés nombre de rois de pays lointains, d'Afrique et d'Arabie jusqu'à l'Inde. Un bruit m'est parvenu et m'a, je l'avoue, un peu humilié : on disait que jamais cheval de bataille n'avait porté meilleur chevalier que Gahmurot l'Angevin. Ainsi je décidai de partir à sa recherche, et j'ai quitté mes deux royaumes avec mon armée. Nous avons traversé la mer, et j'avais hâte d'accomplir les plus grandes prouesses chevaleresques. J'ai soumis tous les pays traversés, jusqu'aux plus lointains. Des reines m'ont accordé leur amour. Mais j'apprends aujourd'hui que mon père Gahmurot est mort, et mon frère Perceval va te raconter les épreuves qu'il a lui-même surmontées.

Le noble Perceval prit la parole :

— Depuis que j'ai quitté le château du Graal, j'ai accompli bien des exploits : j'ai vaincu nombre de rois et de ducs et de comtes, des preux que personne jusqu'alors n'avait vaincus. J'ai pris part à de nombreux tournois sur les trajets de ma quête vers le Graal.

Feirefiz se réjouit d'apprendre que son frère avait acquis tant de renom, car l'honneur en rejaillissait aussi sur lui. Gauvain avait fait apporter l'armure du chevalier païen : tous l'admirèrent, chevaliers et dames regardèrent avec attention la cotte d'armes, le bouclier, le surcot[1], et tous admirèrent les pierres précieuses qui y étaient serties. Les dames pensaient qu'il devait être bien fidèle, l'homme qu'une femme avait tant comblé. Elles le trouvaient très séduisant, en particulier à cause des taches de son teint. C'est pourquoi on laissa Feirefiz aux soins des dames.

Arthur voulait – vous savez que le roi était célèbre pour sa largesse ! – organiser une très grande fête le lendemain en l'honneur de Feirefiz : il fallait, dit-il, que Feirefiz prenne place avec eux à la Table ronde. Arthur fit donc tailler une somptueuse table ronde dans une étoffe de prix, sur le modèle de la table ronde qu'il avait fait tailler auparavant. Sur l'herbe verte que rafraîchissait la rosée, on disposa un cercle de sièges, et la table fut placée au beau milieu du cercle. C'est Gauvain, le généreux chevalier, qui s'était chargé de la dépense.

1. Le surcot est un corsage porté par-dessus la cotte.

Le jour brillait, limpide et rayonnant. Les chevaliers tressèrent leurs cheveux – c'était la coutume des grandes cours à l'époque – afin d'y faire poser par les mains des dames une couronne de fleurs. Les dames étaient élégamment vêtues. Alors on entendit la messe, et parmi les chevaliers de la Table ronde ce jour-là, le plus remarquable assurément était Feirefiz l'Angevin.

Tous venaient vers le cercle, et de tous côtés affluaient de magnifiques bannières. Les troupes de chevaliers s'élançaient les unes contre les autres, autour de la Table ronde, mais aucune monture ne pénétrait à l'intérieur du cercle. On faisait caracoler les chevaux, les jouteurs montraient leurs talents pour la plus grande joie des dames qui les regardaient.

Ensuite on passa à table : les chambellans, les écuyers tranchants et les échansons veillaient au déroulement du repas selon les règles. Heureux le jour de l'arrivée d'un tel étranger !

Sur ces entrefaites, une demoiselle se présenta, splendidement vêtue. Son mantel était fait d'un riche étoffe de soie plus noire qu'un cheval d'Espagne. Elle arriva de l'allure paisible de sa monture, dont la bride et la selle étaient d'un très grand prix. La messagère pria le roi et la reine Guenièvre de l'aider à se faire entendre. Alors elle alla trouver Perceval assis auprès du roi et se jeta à ses pieds :

— Heureux sois-tu, fils de Gahmurot ! lui dit-elle à haute voix. Que Dieu t'accorde sa grâce, c'est bien au fils de la Dame Veuve que je m'adresse. Et à toi, Feirefiz, couvert d'étranges taches, je te souhaite la bienvenue, à cause des nombreuses prouesses que tu as accomplies !

Puis elle s'adressa à Perceval :

— Sois rempli de joie, car ton destin est exaltant. On a lu sur l'inscription du Graal que tu es appelé à devenir le maître du Graal. Ton épouse Blanchefleur et ton fils Lohengrin t'y accompagneront. Tu ne le sais pas encore : lorsque tu l'as quittée il y a bien des années, elle venait de concevoir deux fils. L'un d'eux nommé Cardiz sera roi de tes terres. Et tes lèvres prononceront maintenant la question qui sauvera le roi Anfortas de sa profonde affliction. Ta douleur prend fin, Perceval ! Désormais seule la démesure pourrait t'exclure de la communauté du Graal. Grâce à tes combats et à ta loyauté, tu as gagné la paix de l'âme et tu peux écarter la malédiction !

Des larmes de joie jaillirent des yeux de Perceval :

— Demoiselle, si Dieu me destine toutes les choses étonnantes que vous venez de dire, si mon épouse et les fils qu'elle m'a donnés peuvent les partager avec moi, je serai comblé de bienfaits. Je vous crois sur parole, car vous portez sur votre mantel les mêmes motifs peints que ceux des boucliers des chevaliers de Montsauvage. Dites-moi maintenant quand et comment je dois m'y rendre.

— Un seul homme pourra t'accompagner ! répondit la messagère. Choisis-le !

Perceval demanda à son frère d'être son compagnon. Feirefiz fut heureux de partir pour Montsauvage. Perceval raconta à tous ce que l'ermite lui avait jadis appris : personne ne pourrait jamais conquérir le Graal par les armes, sinon celui que Dieu aurait désigné. C'est pourquoi bien des chevaliers avaient renoncé à la quête du Graal.

Perceval et son frère partirent la joie au cœur. À Montsauvage, Anfortas et ses proches vivaient encore dans la douleur. Les chevaliers du Graal, malgré les supplications du roi, ne voulaient pas le délivrer de ses tourments, et ils lui présentaient le Graal dont la force le maintenait en vie. Le Roi Pêcheur les suppliait :

— Combien de temps me faudra-t-il encore vivre dans la souffrance ? Si vous me voulez vraiment du bien, délivrez-moi, je vous en conjure au nom de l'ordre de chevalerie pour lequel nous portons le heaume et le bouclier. Mes tourments devraient éveiller votre pitié. Quel roi suis-je pour vous ?

Mais ses compagnons gardaient l'espoir d'un secours, de ce secours dont le frère du roi, celui qui devait se faire ermite dans la forêt, leur avait parlé quand il avait lu l'inscription sur le Graal. En vérité, ils attendaient le retour de celui qui avait laissé passer sa chance, ils attendaient encore celui qui saurait enfin poser la question attendue.

Souvent le roi fermait les yeux pour des jours entiers, mais il suffisait qu'on le porte devant le Graal, et il finissait par reprendre vie. Cela dura jusqu'au jour où Perceval et son frère aux taches noires et blanches arrivèrent à Montsauvage. Anfortas était alors cruellement tourmenté : personne ne pouvait apaiser sa douleur, et les chevaliers du Graal se lamentaient. Ils ne savaient pas que leur salut était proche !

Quand la plaie du roi était douloureuse, on répandait des parfums pour le réconforter par des odeurs délicieuses ; même sur le sol, on répandait de la cardamome, des clous de girofle et des noix de muscade pour le soulager par leur bonne odeur. Le lit du roi, sachez-le, était une merveille. Les pierres précieuses apportaient non seulement leur éclat, mais leurs vertus : turquoises, diamants, béryls, topazes et bien d'autres. Certaines de ces pierres[1] avaient le don d'apporter l'allégresse, d'autres

1. Sur la valeur curative et merveilleuse des pierres, les hommes du Moyen Âge ont longuement réfléchi, en particulier dans des ouvrages appelés des Lapidaires, encyclopédies des pierres.

rendaient le bonheur et guérissaient les maux. Grâce à ces pierres, les chevaliers du Graal pouvaient réconforter leur roi. Ils ne savaient pas que leur joie était proche.

Perceval et Feirefiz chevauchaient : une foule de chevaliers du Graal, à leur vue, arrivèrent au galop, et quand leur chef vit les tourterelles sur les vêtements de la messagère, il sut que leurs tourments allaient prendre fin et qu'arrivait l'homme dont ils attendaient tous la venue. Les chevaliers mirent alors pied à terre et souhaitèrent la bievenue à Perceval que le Ciel leur envoyait. Ils accueillirent avec joie et honneur le chevalier noir et blanc, puis tous chevauchèrent vers l'enceinte de Montsauvage.

Feirefiz l'Angevin et Perceval montèrent les marches de l'escalier qui menait à la grande salle. Ils prirent place en attendant qu'on leur enlève leur armure. Un chambellan s'approcha, faisant signe d'apporter de magnifiques vêtements taillés dans la même étoffe. On les fit boire dans une coupe d'or. Le roi, qui ne pouvait ni se lever, ni s'asseoir, reçut les chevaliers avec de grands signes de joie :

— Ma souffrance et mon attente ont été longues, dit-il. Quand vous nous avez quittés, vous m'avez laissé proche de la mort, et si vous êtes bien Perceval, ayez pitié de moi et empêchez mes chevaliers de me montrer le Graal. Je quitterai alors le rivage de cette vie et mon tourment aura pris fin. Mais qui est votre compagnon ?

Tout en larmes, Perceval lui dit :

— Dites-moi, où se trouve le Graal ?

Il s'agenouilla face au Graal, priant Dieu de délivrer le roi infortuné. Puis il prit la parole, à claire voix :

— Mon oncle, quel est ton tourment ? Et qui sert-on de ce plat que l'on porte après le Graal ?

Dès le moment où ces mots furent prononcés, Anfortas fut guéri : son visage retrouva l'éclat et la couleur d'un homme sain. Il put se mouvoir comme s'il avait retrouvé la jeunesse. La puissance de Dieu fait des miracles !

12. Perceval roi du Graal

Comme l'inscription sur le Graal ne pouvait être mise en doute, Perceval fut proclamé roi et seigneur du Graal. Tout le peuple du Graal s'empressa au service du roi et de son hôte.

Entre-temps, Blanchefleur approchait le cœur joyeux. De nombreux chevaliers lui avaient fait escorte jusqu'au royaume de Montsauvage, précisément jusqu'à la lisière de la forêt où les trois belles gouttes de sang avaient plongé Perceval dans l'extase d'amour. C'est là que Perceval devait retrouver son épouse. Il se mit en route avec une partie des chevaliers du Graal pour prévenir l'ermite de la forêt. Celui-ci se réjouit en apprenant qu'Anfortas n'avait pas succombé aux atroces douleurs et que la question de Perceval l'avait définitivement sauvé.

— C'est un très grand miracle, mon fils ! dit-il à Perceval. Vous avez vraiment arraché à Dieu Tout-Puissant l'accomplissement de votre désir ! Je ne vous avais pas dit toute la vérité au sujet du Graal, pardonnez-le moi, je savais qu'il pouvait y avoir un remède au silence dont vous étiez coupable, mais il n'est jamais arrivé que quelqu'un puisse conquérir le Graal par les armes, et je voulais vous prévenir. Pour vous les choses se sont passées autrement, puisque Dieu l'a permis !

Perceval répondit à son oncle :

— Je vais maintenant retrouver la femme que je n'ai pas tenue dans mes bras pendant cinq ans. Mon amour pour elle est toujours aussi vif. Elle est sur son chemin, et toute proche maintenant : je veux aller au-devant d'elle.

Ainsi Perceval chevaucha toute la nuit. À l'aube il aperçut de nombreuses tentes et des bannières du pays de Beaurepaire et auprès d'elles, les boucliers des chevaliers des barons du royaume de Blanchefleur. On montra à Perceval le lieu où l'on avait dressé son pavillon, entouré de nombreuses autres tentes. Comme on n'avait pas encore annoncé son arrivée à la reine, Perceval put découvrir, le cœur gonflé de joie, Lohengrin et Cardiz couchés près d'elle dans une tente, et tout autour reposaient de belles dames.

Perceval effleura de la main la couverture, et dit à la reine de se réjouir. Elle ouvrit les yeux et vit son époux, elle sauta du lit sur le tapis et enlaça Perceval de ses bras. Ils s'étreignirent longuement.

— Béni soit Dieu de nous avoir réunis ! La tristesse de ma longue attente s'enfuit. J'ai maintenant ce à quoi j'aspirais, et mon chagrin s'est évanoui ! disait la reine.

Les deux enfants se réveillèrent, et Perceval serra avec joie les petits garçons qui étaient tout nus sur le lit. On se souvient de l'éblouissement de Perceval devant les trois gouttes de sang sur la neige ! Maintenant il tenait dans ses bras la femme à laquelle il avait songé si profondément qu'il avait perdu toute conscience de ce qui l'entourait. Il lui avait été fidèle et n'avait jamais cédé au désir d'une autre femme.

Les chevaliers du royaume de Beaurepaire admiraient les chevaliers du Graal et leurs superbes cimiers ainsi que leurs boucliers qui témoignaient de nombreux combats. Tous s'étaient levés car un prêtre lisait l'office. Perceval était à la fois heureux et perplexe, et il s'adressa à ses vassaux :

— Qu'allons-nous faire, puisque me voilà père de deux jumeaux ? Lequel de ces enfants, lequel de ces jumeaux sera votre roi ?

Puis il fit part de sa décision : Cardiz recevrait en héritage légitime le pays de Galles, le pays de Norgales et l'Anjou :

— Quand il aura atteint l'âge voulu, vous l'accompagnerez dans ces royaumes que mon père Gahmurot m'a légués. Puisqu'un heureux destin m'a fait roi du Graal, vous recevrez, en toute loyauté, vos fiefs des mains de mon fils Cardiz[1].

Les fidèles chevaliers s'approchèrent, et le petit garçon leur donna en fief de vastes contrées. Alors Cardiz fut couronné roi, et par la suite, sachez-le, il conquit par les armes de nombreux autres pays que Gahmurot, son grand-père, avait perdus.

Puis on démonta les tentes, et on se dirigea vers Montsauvage. Les chevaliers du Graal entouraient le jeune Lohengrin et sa mère. Ils arrivèrent au cours de la nuit. Feirefiz les avait attendus. On alluma tant de torches que la forêt semblait embrasée. Dans la cour du château, des troupes de chevaliers attendaient le roi, la reine et leur jeune fils. On porta ce dernier vers son oncle d'outremer, mais en voyant son teint bigarré de noir et de blanc, l'enfant prit peur. Feirefiz ne fit qu'en rire !

1. Les vassaux vont donc prêter hommage à l'enfant, si petit soit-il. L'hommage est, en effet, un pacte qui lie au seigneur son vassal. Le vassal devient « l'homme » du seigneur.

Tous étaient plongés dans la joie. La demoiselle qui portait le Graal était la sœur du roi Anfortas : elle s'appelait, vous le savez, Pensée-de-Joie, et était élancée et souple comme un rameau de printemps. Feirefiz alla vers la reine Blanchefleur qui lui donna le baiser de bienvenue et se réjouit de la guérison du Roi Pêcheur. Blanchefleur fut aussi conduite vers Pensée-de-Joie, puis menée par des demoiselles vers ses appartements, tandis que les chevaliers restaient dans la grande salle éclairée par de multiples flambeaux. On se prépara à accueillir le Graal qui ne se montrait à la communauté du château que lors des fêtes. C'était pour un triste destin qu'il avait été apporté lors de la première visite de Perceval : maintenant on allait le montrer dans l'allégresse !

La reine revint, portant un vêtement de soie tissé par une main de fée. Dans les cheminées brûlait du bois d'aloès. Les tapis abondaient, et les sièges étaient ornés. Le Graal, qui permettait jusque-là de maintenir en vie le Roi Pêcheur, fut apporté devant le fils de Gahmurot et son épouse. Vingt-cinq demoiselles entrèrent en cortège : le chevalier païen était émerveillé car elles étaient toutes plus belles les unes que les autres. Tout particulièrement Pensée-de-Joie lui sembla d'une rare beauté. On m'a raconté qu'elle était la seule par laquelle le Graal pût être porté, car son cœur était pur et sans tache.

Et dois-je vous raconter tous les détails du service de table ? Les chambellans s'empressaient, les coupes d'or étaient offertes. On se servait de gibier ou de viande de bêtes de pâture, d'hydromel, de vin de mûres et de vin clairet. L'abondance régnait.

Le seigneur païen demanda comment il se trouvait que les coupes d'or vides se remplissaient d'elles-mêmes : il en était fort impressionné. Le noble Anfortas lui dit :

— Ne voyez-vous pas le Graal devant vous ?

Le païen répondit qu'il ne voyait qu'une étoffe de soie verte que portait une demoiselle. Le Graal, en effet, ne pouvait être vu par ceux qui n'étaient pas baptisés, et Feirefiz, fils de Gahmurot, ne l'était pas !

Mais il ajouta :

— Cette demoiselle qui passe près de nous, coiffée d'une couronne, m'émeut profondément. L'amour me possède, et mes tourments ne vont point cesser.

Il s'adressa à ses dieux païens pour se plaindre du supplice d'amour. La peine et le désir qu'il éprouvait faisaient pâlir les parties claires de son visage. Feirefiz était captif de la prison d'amour, et il avait bien oublié la reine des montagnes du Caucase !

Le noble Anfortas remarqua sa pâleur :

— Seigneur, lui dit-il, je suis triste que ma sœur vous cause un tourment qu'aucun homme n'a jusqu'ici éprouvé à cause d'elle. Aucun chevalier n'est parti en quête d'aventures par amour pour elle, car elle n'a cessé de partager mon affliction, elle n'aurait pu songer à la joie d'amour. Peut-être Perceval pourra-t-il vous apporter un réconfort.

— Ah ! seigneur, si la demoiselle à la couronne est votre sœur, dites-moi comment je pourrais lui exprimer mon amour ! Toute cette renommée que j'ai acquise au fer de ma lance, je voudrais l'avoir acquise en la servant. Comme je serais heureux de pouvoir combattre pour elle désormais !

En vérité Pensée-de-Joie et Anfortas se ressemblaient trait pour trait, et Feirefiz qui ne cessait de les regarder ne pouvait goûter aucun mets. Alors Anfortas dit à Perceval :

— Savez-vous que votre frère n'a pas encore vu le Graal !

Feirefiz le confirma, ce qui sembla très étrange à tous les chevaliers. En effet, un païen ne pouvait, sans le baptême, contempler le Graal, comme s'il était frappé de cécité. Perceval et Anfortas mirent tous leurs soins à expliquer à Feirefiz qu'un païen ne pouvait voir de ses yeux l'objet magique qui donnait à tous de la nourriture en abondance. Ils lui conseillèrent de se faire baptiser.

— Si je me fais baptiser, demanda Feirefiz, me sera-t-il possible de parler d'amour à Pensée-de-Joie ? Je suis dans une détresse que je n'ai jamais connue, depuis le jour où pour la première fois j'ai saisi un bouclier !

— Aimes-tu la sœur d'Anfortas ? demanda Perceval.

— Aide-moi à lui adresser ma requête, supplia Feirefiz, et je la ferai souveraine de nombreux royaumes.

— Si tu acceptes de te faire baptiser, dit le roi du Graal, tu pourras lui parler d'amour. Maintenant je puis te tutoyer, puisque le Graal me rend égal à toi en richesses et en puissance.

— Je suis prêt à courir vers le baptême, dit Feirefiz l'Angevin. Que faut-il faire ? Sauter sur mon cheval, manier la lance et l'épée ?

Perceval et Anfortas se mirent à rire.

— Le baptême ne s'obtient pas de la sorte, expliqua Perceval. C'est une vraie cérémonie, après laquelle tu pourras te marier. Mais pour obtenir Pensée-de-Joie, il te faudra renier tes dieux païens et oublier la reine d'outre-mer !

Durant ces propos, la belle qui tenait captif le cœur de Feirefiz emporta le Graal. Feirefiz reçut un lit moelleux, mais l'amour ne cessait de le tourmenter, alors que tous les chevaliers du Graal dormaient d'un sommeil paisible. Au matin Anfortas et le noble Perceval dirent au chevalier païen de se rendre devant le Graal. Les fonts baptismaux étaient creusés dans un immense rubis qui reposait sur un socle sculpté dans le jaspe. Perceval dit à son frère :

— Si tu veux épouser ma jeune tante Pensée-de-Joie, il faut abjurer tes dieux et suivre désormais les commandements de notre Dieu.

— Je le ferai en toute loyauté, dit Feirefiz, tant je désire l'amour de la noble demoiselle !

La cuve baptismale fut inclinée devant le Graal et se remplit instantanément, par miracle, d'une eau qui n'était ni trop froide, ni trop chaude. Un vieux prêtre grisonnant prit la parole :

— Il faut désormais croire au Dieu Tout-Puissant, qui s'est fait homme pour sauver l'humanité. C'est Lui qui a créé le monde, Adam et Ève et leurs enfants, et il fut lui-même aussi baptisé dans le Jourdain. L'eau du baptême purifie les hommes, elle féconde le monde, c'est elle qui permet à nos yeux de voir en toute vérité !

Feirefiz répondit au prêtre :

— Je veux bien croire tout ce que vous m'apprenez. Du moment que j'ai l'espoir d'être récompensé par ma dame, j'obéirai avec joie aux commandements de votre Dieu. Je renonce à nos dieux et à la reine d'outre-mer ! Qu'on me donne le baptême !

Selon les rites, la bénédiction du baptême fut prononcée. Lorsque le païen eut revêtu la tunique baptismale, on fit venir Pensée-de-Joie, et les deux jeunes gens furent unis. Auparavant, Feirefiz, comme frappé de cécité, ne pouvait voir le Graal : maintenant ses yeux en découvraient la splendeur.

Et ce jour-là, on put lire sur le Graal une inscription nouvelle : « Si Dieu désigne l'un des chevaliers du Graal pour devenir le souverain d'un peuple lointain, ce chevalier devra faire régner la justice. À une condition cependant : il devra exiger qu'on ne lui pose jamais de question sur son nom et sur son lignage. Si la question est posée, il devra tout quitter. »

En effet, c'était à cause des tourments subis par Anfortas, qui avait dû attendre si longtemps la question salvatrice, que les chevaliers du Graal ne devaient jamais être interrogés sur eux-mêmes !

Feirefiz voulut emmener son beau-frère Anfortas pour partager avec lui royaumes et richesses, mais Anfortas voulait se consacrer à Dieu et combattre au service du Graal. Alors Feirefiz voulut emmener son neveu Lohengrin, mais la reine refusa et le roi Perceval lui dit :

— Mon fils est destiné au service du Graal !

Feirefiz partit alors avec son épouse. Son départ causa à Perceval une grande tristesse. Il fit escorter son frère par un grand nombre de chevaliers du Graal. Les demoiselles ne pouvaient refouler leurs larmes. Feirefiz poursuivit son long voyage, mais ses chevaliers ne l'avaient pas attendu, et son armée s'était dispersée. Quant au roi Arthur, il était retourné à Camaalot, sa prestigieuse résidence.

En chemin, on annonça à Feirefiz la mort de la reine sarrasine. Pensée-de-Joie était désormais délivrée de tout souci. En Inde, elle devint la mère d'un fils merveilleux qu'on appela Jean et qui devint plus tard le Prêtre Jean[1]. Depuis ce temps-là, tous les rois du pays portent ce nom, et Feirefiz fit connaître en Inde la foi chrétienne.

Voici l'authentique histoire du Graal et de ses chevaliers. Quant à Lohengrin, fils de Perceval, il devint un chevalier vaillant et valeureux, et il servit le Graal avec ardeur.

Et voici encore le récit de ce qui lui arriva. Lorsqu'il fut en âge de se marier, vivait en Brabant une princesse pourvue de nombreuses qualités. Nombre de princes et de rois l'avaient demandée en mariage, mais elle servait Dieu et repoussait ses prétendants. Alors la noblesse de son pays se souleva contre elle. Pourquoi retarder un mariage qui apporterait prospérité et protection au pays ?

1. Le Prêtre Jean est un personnage mythique, un souverain imaginaire dans nombre de textes médiévaux, en particulier les relations des voyageurs. Son royaume, mystérieux et fabuleux, était situé quelque part en Asie. On voit comment le romancier Wolfram tire parti d'une légende extrêmement répandue, en intégrant le mystérieux Prêtre Jean dans la généalogie de Perceval.

Elle remit son destin entre les mains de Dieu, et nombreux furent les messagers venus de lointains pays. Elle fit proclamer son engagement solennel de ne prendre pour époux que l'homme que Dieu lui destinerait. La princesse de Brabant fut entendue par Dieu. De Montsauvage vint le chevalier Lohengrin, qu'un cygne conduisit jusqu'à elle en tirant une barque. C'était un chevalier parfait, sincère et généreux, et il avait le sens de la justice. Il fut bien accueilli par la souveraine, et devant la foule de ses sujets, il lui dit :

— Princesse, si j'accepte de devenir le seigneur du pays, sachez que je quitte une fonction prestigieuse. Et ce sera à la condition suivante : vous ne me demanderez jamais qui je suis ni d'où je viens ! Aussi longtemps que vous obéirez à cet ordre, je resterai auprès de vous. Si vous me posez la question, vous me perdrez tout aussitôt, par la volonté de Dieu !

Elle fit la promesse, comme les femmes savent le faire, qu'elle respecterait son désir. Mais la curiosité, l'amour peut-être, lui fit par la suite oublier son engagement. Il devint prince de Brabant. De nombreux seigneurs reçurent de lui leurs fiefs. Il fut un souverain juste et courageux. Ils eurent de nombreux enfants, mais on sait qu'il dut la quitter, car elle le chassa par sa question. Le cygne réapparut, tirant une barque nostalgique. Lohengrin laissa à son épouse son épée, un cor et un anneau, et traversa les mers et les terres pour revenir au château du Graal.

Chrétien de Troyes a raconté l'histoire de Perceval, mais n'a pu la terminer. Sa vie fut trop brève, hélas ! Afin de poursuivre ce récit, j'ai donc cherché mes sources jusqu'en Provence, et je suis resté fidèle à ce que j'ai lu. Voici qu'est terminée l'histoire de la noble lignée de Perceval, qui devint souverain du Graal après avoir causé le malheur du royaume en omettant de poser la bonne et juste question.

Pour en savoir plus...

Index des noms de personnes, de lieux et de festivités

Les principaux noms cités ici apparaissent dans bien d'autres romans arthuriens, de Chrétien de Troyes jusqu'à la fin du Moyen Âge.

Anfortas : dit le Roi Pêcheur.

Arthur (le roi Arthur) : fils d'Uterpendragon (appelé parfois Pendragon), souverain de la Table ronde, apprécié pour ses qualités de largesse, de générosité et de justice ; oncle de Gauvain.

Ascension : l'une des dates rituelles où se déroulent les festivités à la cour d'Arthur.

Blanchefleur : reine du royaume de Beaurepaire, aimée de Perceval dont elle devient l'épouse ; mère des deux jumeaux, Cardiz et Lohengrin.

Camaalot : résidence d'Arthur, à l'entrée du royaume de Logres.

Carduel : en pays de Galles, l'une des capitales du royaume d'Arthur, probablement sa résidence privilégiée.

Carlion : au pays de Galles, lieu où Arthur tient fréquemment sa cour.

Chevalier Vermeil : nom du tout premier adversaire du jeune Perceval ; personnage de l'Autre Monde, agresseur du roi Arthur et de la reine.

Feirefiz : le demi-frère de Perceval, né des amours de Gahmurot avec une reine orientale.

Forêt Déserte : où se trouve le manoir de la famille de Perceval, lieu écarté de toute vie sociale et chevaleresque.

Gahmurot : père défunt de Perceval et de Feirefiz, époux de la Dame Veuve.

Gauvain : neveu d'Arthur, fils du roi Lot d'Orcanie ; le modèle de la courtoisie et de la prouesse ; l'un des grands personnages de la cour arthurienne et héros de très nombreux récits bretons écrits après Chrétien de Troyes.

Gornemant de Goort : le noble vavasseur qui apprend à Perceval le maniement des armes et le raffinement des manières ; il l'adoube chevalier ; oncle de Blanchefleur.

Guenièvre : épouse d'Arthur, reine généreuse et bienfaisante.

Keu : sénéchal, frère de lait d'Arthur, il est toujours présent à la cour ; est connu pour ses propos sarcastiques et pour le ridicule qui s'attache à quelques-unes de ses entreprises.

Logres : le royaume d'Angleterre, qui, après le rétablissement de la coutume par les chevaliers de la Table ronde, devient le royaume d'Arthur.

Pensée-de-Joie : la demoiselle qui porte le Graal, sœur du Roi Pêcheur, devient l'épouse de Feirefiz.

Pentecôte : l'une des dates rituelles où se déroulent les festivités à la cour d'Arthur.

Perceval : fils de la Dame Veuve et de Gahmurot, frère de Feirefiz.

Roi Pêcheur (nommé Anfortas dans le roman de Wolfram von Eschenbach) : roi mutilé qui souffre d'une blessure à la cuisse ; son grand-père est le reclus qui vit de l'hostie portée par le Graal.

Sagremor : chevalier de la Table ronde, au caractère impétueux.

Saint-Jean (fête de la Saint-Jean) : l'une des dates rituelles de la cour du roi Arthur.

Table ronde : l'enchanteur Merlin a institué une table durant le règne d'Uterpendragon, père d'Arthur ; autour d'elle se rassemblent de nombreux chevaliers.

Vendredi saint : date anniversaire du jour où le Christ a souffert la Passion.

Bibliographie

Après avoir goûté aux mystères du Graal et aux énigmes auxquelles Perceval a été confronté, si vous voulez connaître les autres aventures des chevaliers de la cour du roi Arthur, vous pourrez lire :

La Légende arthurienne. Le Graal et la Table ronde, sous la dir. de Danielle Régnier-Bohler, coll. « Bouquins », Laffont, 1997 (nombreuses réimpressions), traduction de quinze récits arthuriens ; ainsi que la traduction de tous les romans de Chrétien de Troyes (« Bibliothèque de la Pléiade », Le Livre de Poche ou Gallimard).

Sur les sources, la vie littéraire de l'époque et sur Chrétien de Troyes :

Les Littératures celtiques, Pierre-Yves Lambert, coll. « Que sais-je ? » n° 809, PUF, Paris, 1981.

Chrétien de Troyes. L'homme et l'œuvre, Jean Frappier, Hatier, Paris, 1957.

Le Merveilleux dans la littérature française du Moyen Âge, Daniel Poirion, coll. « Que sais-je ? » n° 1938, PUF, Paris, 1re éd. 1982 et suivantes.

Pour les éléments de civilisation :

La Vie quotidienne en France et en Angleterre au temps des chevaliers de la Table ronde, Michel Pastoureau, Hachette, Paris, 1re éd. 1976 (réédition 1993).

Figures de l'héraldique, Michel Pastoureau, coll. « Découvertes », Gallimard, Paris, 1996.

Et n'oubliez pas d'aller au cinéma pour voir :

Perceval d'Eric Rohmer et *Excalibur* de John Boorman.

CAMILLE SANDER

L'auteur, d'origine alsacienne, a vécu dans plusieurs pays. Elle est actuellement professeur de littérature du Moyen Âge à l'université et spécialiste des récits de chevalerie. Elle a fondé à la Sorbonne nouvelle un enseignement sur la littérature de jeunesse. Active dans le monde de l'édition, elle a fait publier de nombreux ouvrages et a participé pendant plusieurs années à des émissions de France-Culture. Elle a raconté avec passion à ses enfants des légendes de tous les pays du monde, et elle collabore volontiers avec les ethnologues et les anthropologues.

Table des matières

Loi n° 49-956 du 16 juillet 1949
sur les publications destinées à la jeunesse
Achevé d'imprimer
par Dupli-Print à Domont (95)
en août 2021
N° d'impression : 2021080783
Dépôt légal : août 2011
N° d'édition : L.01EJEN000688.A004
Imprimé en France